目录

一..12

二..32

三..49

四..69

五..80

六..121

七..138

在磨难和爱中成长............................176

　1..177

　2..180

　3..186

有一次，Б.排练完回家，在一条小巷，在一家肮脏的小酒馆的入口撞见一
个衣着破旧、醉醺醺的人，叫着他的名字。这人就是叶菲莫夫。

离我们两步远处是一个冰洞，四周一个人都没有。

我们亲吻、哭泣、哈哈大笑，我们的嘴唇都吻得肿了起来。

我正设法躺在地板上睡觉，醒来后吓得大声喊叫，但我立刻分辨出卡佳的声音，听上去比任何人都响亮。

他在镜子前停了一会儿，整理了一下头发，令我大吃一惊的是，我突然听见他在哼唱着一支歌。

傍晚时分，我趁着莫斯科来的奥弗罗夫不在，走进图书室，打开书柜，开始在书中翻找，要挑出一本为阿列克桑德拉·米哈伊洛夫娜朗读。

我不记得我的父亲。他死了，当时我两岁。我母亲又结了婚。这第二次婚姻给她带来很多悲伤，尽管这件事是出于爱情。我继父是一位乐师。他的命运很是引人注目：这是我认识的所有人中最奇怪、最不可思议的人。他过于强烈地反映在我童年的最初印象中，那样强烈，以至于这些印象对我的一生产生了影响。首先，为了让我的故事明白易懂，我在此引入他的生平。我现在要讲的一切，都是后来从著名的小提琴家 Б. 那里了解的，他是我继父年轻时期的同伴和密友。

我继父姓叶菲莫夫。他出生在一个非常富裕的地主的庄园里，其父是一位贫穷的乐师，他经过长时间的流浪之后，定居在了地主的庄园并受雇于他的乐队。地主的日子十分奢华，尤其是，他狂热地喜爱音乐。谈起他来，人们就会说，他这个人从不离开村子，甚至连莫斯科都不去，有一次突然决定去国外的某个矿泉地，而且去了不过几个星期，只为听某位著名的小提琴家的演奏，因为报纸通告说，他打算在矿泉地举办三场音乐会。地主有一支像模像样的乐队，几乎把自己的所有收入都花在上面。我继父以单簧管乐手的身份加入了这个乐队。他在二十二岁的时候，结识了一个奇怪的人。就在那个县里住着一位富有的伯爵，因维持家庭剧院而散尽家财。这位伯爵辞掉了自己乐队里那位生于意大利的乐队长，理由是行为不端。乐队长的确是个恶劣之人。被赶走的时候，他彻底失了体面，开始光顾乡下的小酒馆，喝得烂醉，有时还乞求人家的施舍，全省已经没有任何人愿意给他职位。我继父和这样一个人成了朋友。这种关系无法解释也很奇怪，因为谁都没有发现他的自身行为由于仿效友伴而发生任何改变，甚至连地主本人，起初禁止他与意大利人交往的，也对他们的友谊视若无睹。最后，乐队长猝然死了。他是农民们一早在水沟里发现的，就在堤坝旁边。一番调查之后，表明他死于中风。他的财产存放在继父那里，继父立即出示了证据，证明他完全有权继承这份财产：死者留下一张亲手写的便条，指定叶菲莫夫为自己死后的继承人。遗产包括一件黑色燕尾服，是死者精心保存的，他还一直希望为自己找到一个职位；另有一把小提琴，看上去相当普通。没有人争夺这份遗产。但过了一段时间，伯爵乐队的第一小提琴手带着伯爵的一封信出现在地主面前。在这封信中，伯爵请求他说服叶菲莫夫出卖意大利人留下的小提琴，伯爵很想为自己的乐队买下这把小提琴。他出价三千卢布，还补充说，他已经几次派人找过叶戈尔·叶菲莫夫，想当面了结这笔交易，但对方固执地拒绝了。伯爵最后说，小提琴的价钱很实在，他没做任何压价，而在叶菲莫夫的固执中，伯爵看出令他受辱的顾虑，以为交易时自己会利用他的单纯和不知情，因此请求地主劝说他。

地主立即派人把继父叫来。

"你为什么不愿意出让小提琴？"他问道，"你又用不着。人家给你三千卢布，这价格实实在在，如果你认为人家该付更多，那就没道理了。伯爵不会欺骗你。"

叶菲莫夫回答，他自己不会去见伯爵，但如果打发他去，那么这是主人的意志；他不会把小提琴卖给伯爵，可如果他们想强行夺走，那么这也是主人的意志。

显然，他以这种回答触动了地主性格中最敏感的那根弦。事实上，他总是自豪地说他知道如何对待自己的乐师，因为他们都是真正的艺术家，多亏了他们，他的乐队不仅比伯爵的好，而且不比首都的差。

"好吧！"地主回答，"我会通知伯爵，说你不想卖小提琴，因为你不想卖，因为你完全有权卖或不卖，明白吗？但我要问问你：你要小提琴有什么用？你的乐器是单簧管，虽说你的单簧管吹得很糟糕。就把它让给我吧。我给你三千。（谁知道它是这么一件乐器呢！）"

叶菲莫夫冷冷一笑。

"不，老爷，我不会卖给您，"他回答，"当然，按您的意志……"

"可难道我在强压你，难道我在逼迫你？"地主喊道，他情绪失控了，更何况事情是在伯爵的乐师面前发生的，他可以从这场面得出有关地主乐队所有乐师命运都非常不利的结论。"滚吧，不知感恩的家伙！从今往后别让我见到你！没有我，你带着那支单簧管去哪儿安身，你连吹都不会吹！在我这儿你吃得饱，穿得暖，拿着薪水；你过着高贵体面的日子，你是个艺术家，可你不想明白，也感觉不到这一点。滚吧，别待在这儿惹我发火！"

地主把惹他生气的人全都赶走，因为他害怕自己的火暴脾气。而且无论如何他不想对一位"艺术家"过于苛刻，他就是这样称呼自己的那些乐师的。

交易未能达成，看来，事情就这样结束了，可是突然间，一个月后，伯爵的小提琴手挑起一桩可怕的事：他自己担责，向我继父提出了控告，声称我继父在意大利人之死一事上有罪，他出于夺取丰厚遗产的自私目的杀死了那人。他声称，遗嘱是强行诱骗而来，并承诺会为自己的指控提供证人。无论伯爵还是袒护我继父的地主如何请求或规劝，都无法动摇控告者的意图。人们向他指出，对已故乐队长尸体所做的医学检查是正确的，控告者质疑显明的证据，或许是因为未能占有准备为他购买的珍贵乐器，出于个人的恶意和懊恼。乐师坚持自己的立场，对天发誓他是对的，他声称，发生中风并非由于醉酒，而是由于毒药，并要求再次调查。乍看上去，他的论证显得不可忽视。自然而然，案件就此开审。叶菲莫夫被抓，送进了市里的监狱。一桩令全省大感兴趣的讼案开始了。审理进展很快，其结果是，乐师做了虚假的指控。他被判处公正的惩罚，但他始终坚持己见，让人相信他是对的。最终他才承认他没有任何证据，而他所提供的证据是他臆造出来的。但是，臆造这一切时，他是凭假设、凭猜测行事，因为直到现在，另一次调查也做完了，叶菲莫夫的清白无辜已正式获得证明。他仍抱定信念，认为不幸的乐队长的死因在于叶菲莫夫，尽管有可能他不是用毒药，而是以其他方式杀死了他。不过对他的判决没能来得及执行：他突然患上脑炎，发了疯，死在监狱的诊疗所里。

在这一事件的整个过程中，地主表现得非常高尚。他就像对自己的亲生儿子那样关照我的继父。他好几次到监狱安慰他，给他钱；知道叶菲莫夫喜欢抽烟，就给他带最好的雪茄；当继父被证实无罪，他让整个乐队放假庆祝。地主将叶菲莫夫一案视为关系到整个乐队的事情，因为他珍惜自己乐师的良好品行，若非更甚，至少也与他们的才华同等待之。整整一年过去了，省里突然有传言说，省城来了某位著名的小提琴家，是个法国人，打算顺路开几场音乐会。地主立即开始使出各种办法让他来自己家做客。事情进展顺利，法国人答应前来。为迎接他的到来已做好一切准备，也邀请了几乎整个县的人，但突然间一切掉转了方向。

一天早上有人通报说，叶菲莫夫失踪了，不知去向。人们开始寻找，但他踪迹皆无。乐队处于紧急状态：缺了单簧管。可突然间，在叶菲莫夫失踪三天后，地主收到了法国人的一封信，在信中他傲慢地拒绝了邀请，接着又补充，当然是拐弯抹角地说，今后他与那些拥有自己乐队的老爷打交道会格外小心，看到真正的天才被一个不知其价值的人操控很不雅观。最后，以叶菲莫夫为例，指出他是真正的艺术家，也是他在俄罗斯见过的最好的小提琴手，这就足以证明他的话是正确的。

读完这封信，地主深感惊讶。他伤透了心。怎么会？叶菲莫夫，就是他如此关心、如此施恩的叶菲莫夫，这个叶菲莫夫如此无情、如此无耻地在一位欧洲艺术家，一个他高度重视其见解的人眼前诽谤他！最后，这封信在另一方面也令人莫名其妙：信里宣称叶菲莫夫是位真正有才华的艺术家，说他是一位小提琴家，但人们无法看出他的才华，迫使他演奏别的乐器。这一切让地主大为震惊，他立即准备去城里见一见这位法国人，却突然收到伯爵的便函，邀请地主马上到他那里去，并通告说他知晓整件事情，来访的大师现在与叶菲莫夫一道在他那里，伯爵对后者的放肆和诽谤感到惊讶，下令扣下他。信上最后说，地主的到场很必要，因为叶菲莫夫的指控甚至涉及伯爵本人；这件事非常重要，应尽快予以澄清。

地主马上动身去见伯爵，即刻结识了这位法国人，向他解释了我继父的整个经历，并补充说他从未料到叶菲莫夫有如此巨大的才能，而叶菲莫夫在他这里，正相反，是个很糟糕的单簧管乐师，他还是第一次听说，离开他的这位乐师竟是个小提琴手。他还补充说，叶菲莫夫是个自由人，享有完全的自由，如果他真的受到压制，任何时候都可以离开他。法国人很是吃惊。他们叫来叶菲莫夫，这人几乎让人认不出来了：他举止傲慢，回答时面带冷笑，坚持认为他向法国人道出的话是公正的。这一切把伯爵激怒到了极点，伯爵直接对我继父说，他是个恶棍、无赖，应该受到最可鄙的惩罚。

"请放心，大人，我对您已经很熟悉了，非常了解您，"我继父答道，"承蒙您的恩惠，我才勉强逃过刑罚。我知道，是在谁的怂恿下，您从前的乐师阿列克谢·尼基福雷奇才告发我。"

伯爵听了如此可怕的指控，气得发狂。他几乎无法控制自己。但一位找伯爵办事的官员恰好来到大厅里，宣称他不能听任这一切不承担后果，说叶菲莫夫的冒犯性粗鲁行径包含了邪恶的、不公正的指控和诽谤，他恭请获准就在伯爵家里立即逮捕他。法国人表示了极度的愤慨，说他无法理解这种恶毒的忘恩负义。这时我继父怒气冲冲地回答说，惩罚、审判或哪怕再来一次刑事调查，也比他至今作为地主乐队的成员所经历的生活要好，因为自己极端穷困，没办法早点儿离开。说完这些话，他便与逮捕他的人一起离开了大厅。他被锁进宅子里一个偏僻的房间，被威吓说第二天就送他去城里。

午夜时分，被囚者的门打开了，地主走了进来。他穿着睡袍、便鞋，双手擎着点亮的灯笼。似乎他无法入睡，一种令人痛苦的关切之情迫使他在这种时刻离开床榻。叶菲莫夫没有睡觉，惊讶地望着来人。地主放下灯笼，异常激动地坐在他对面的椅子上。

"叶戈尔，"他对他说，"你为什么要这样侮慢我？"

叶菲莫夫没有回答。地主又问了一遍，话语中透出某种深切的感情、某种奇怪的忧伤。

"上帝知道我为什么如此侮慢您，大人！"我继父终于回答，挥了挥手，"要知道，是魔鬼迷惑了我！我自己也不知道是谁撺掇我做下这一切！哎，我在您这儿待不住，待不住了……魔鬼已经缠上我了！"

"叶戈尔！"地主又开口道，"回我那儿去吧；我把什么都忘掉，我什么都原谅你。听着：你会当上我的首席乐师，我会给你一份与别人不同的薪水……"

"不，大人，不，不要说了，我不会住在您那儿的！我跟您讲，魔鬼缠上我了。如果我留下，我会放火烧掉您的房子；我时常会有那种忧伤，觉得我最好没降生在这个世界上！现在我对自己负责都办不到，大人，您最好别管我吧。这一切就是从那个恶魔和我结交开始的……"

"谁？"地主问道。

"就是像条狗一样断气的那个，人人避之不及的意大利人。"

"是他吗，叶戈鲁什卡，是他教你拉琴的？"

"是的！他教会了我很多东西，导致我的毁灭。我要是从未见过他就好了。"

"难道他是个小提琴大师，叶戈鲁什卡？"

"不，他本人所知不多，但教得很好。我是自学的；他只做了示范——可就算让我的手干枯掉，也比掌握这门手艺让人好受。我现在自己也不知道我想要什么。老爷，您问：'叶戈尔卡！你想要什么？我什么都可以给你。'——可我，老爷，我不能对您说一个字作为回答，因为我自己也不知

17

道我想要什么。不，老爷，我再说一次，您最好别管我了。我会对自己做出某种类似的事，这样他们就会把我远远地打发走，事情也就结束了！"

"叶戈尔！"地主沉默片刻后说道，"我不会就这样丢下你。如果你不想在我这儿谋事，走吧；你是自由人，我不能留着你不放；但现在我不会离开你的。给我奏点儿什么吧，叶戈尔，用你的小提琴，奏一曲吧！看在上帝的分上，奏吧！我不是命令你，请理解我，我不是强迫你；我流着泪请求你：叶戈鲁什卡，看在上帝的分上，奏你给法国人奏的曲子！一吐心声吧！你执拗，我也执拗；知道吗，我也有自己的脾气，叶戈鲁什卡！我能够感知你，你也感知一下吧，像我一样。我活不下去，除非你为我演奏，心甘情愿地演奏你为法国人奏的曲子。"

"好，就这样吧！"叶菲莫夫说，"我发过誓，大人，永远不在您面前演奏，单单不给您演奏，但现在我的心意已定。我给您演奏，但这是第一次也是最后一次。还有，大人，您无论在何时何地都不会再听到我演奏，哪怕许给我一千卢布也不行。"

于是他拿起小提琴开始演奏他为俄罗斯歌曲作的变奏曲。Б.说，这组变奏曲是他的第一首，也是最好的小提琴作品，此后他再没有如此出色、如此富于灵感地演奏什么曲子。地主本来一听到音乐就不能无动于衷，这次更是号啕大哭。演奏结束时，他从椅子上站起来，拿出三百卢布，递给我继父说：

"现在走吧，叶戈尔。我放你离开这儿，我去对付伯爵；但是听着：你不要再跟我见面了。你面前的路很宽，如果我们在路上撞见，你我都很难受。好吧，再见吧！……等一下！我还有句忠告送你上路，只有一样：别喝酒，要学习，一直学下去；别自高自大！我跟你说这些，就像你的亲生父亲对你说话。你听好了，我再重复一遍：要学习，不沾杯盏，只要你借酒消愁（愁是消不完的！）——就毫无希望了，一切就都到魔鬼那儿去了，也许你自己就进了阴沟，就像你那位意大利人一样死掉。好吧，现在再见吧！……等一下，吻吻我！"

他们互相亲吻，随后我继父就获得了自由。

他刚一跻身自由，就立刻开始在附近的县城挥霍他那三百卢布，同时与一伙最黑暗、最肮脏的放荡之徒为伍，最终落得孤身一人，陷于贫困，无人相助，不得不加入一个四处漂泊的外省剧院，在惨兮兮的乐队里当首席小提琴手，也许是唯一的小提琴手。这一切并不完全符合他的初衷，他本想尽快去彼得堡学习，为自己谋得个好位子，充分将自己塑造成一位艺术家。但在小乐队的生活并不顺遂。我继父不久就与流动剧院的老板闹翻并离开了他。当时他彻底灰心丧气，甚至决定采取一个深深刺痛自尊的绝望措施。他写了一封信给我们所知的那位地主，描述了自己的处境并向他要钱。信写得相当自立自主，但答复并未随之而来。这时他又写了一封，在信中，他以最为屈辱的措辞称地主为自己的恩人，并尊称其为真正的艺术鉴赏家，再次请求他予以资助。最终答复来了。地主送来一百卢布和几行字，由他的贴身男仆所写，叫叶菲莫夫从今以后不要再向他提出任何请求。收到这笔钱，继父想即刻去彼得堡，但在还清债务后，钱就少得连旅行的事都不用想了。他再次留在了外省，又进了某个外省的乐队，随后又没能合得来，就这样从一个地方搬到另一个地方，怀揣着设法尽快去彼得堡的永恒念头，在外省度过了整整六年。最终某种恐慌击中了他。他绝望地发现，在毫无条理、一贫如洗的生活的不断束缚下，他的才华遭受了太大的损害，于是一天早上，他抛下自己的老板，带上他的小提琴，几乎是乞讨着来到了彼得堡。他在某处楼顶间安顿下来，就在此时第一次遇见了Б.，这位刚刚从德国来，也试图为自己谋一份事业。他们很快交上了朋友，Б.至今回忆起这段相识仍深有感触。两人都很年轻，都怀着同样的希望，都怀着同一个目标。但Б.还处于青春初期，他还较少经受过贫穷和痛苦；再者，他首先是个德国人，他执着、系统地追求自己的目标，对自己的力量有着完善的认识，并几乎预知到自己将会有何作为——而此时他的同伴已经三十岁，此时他已经累了、疲倦了，失去了全部耐心，耗尽了他最初的健康体力，整整七年被迫为了一块面包在外省剧院和地主的乐队里游荡。支撑他的只有一个永恒的、不可动摇的念头——最终摆脱恶劣的处境，攒钱去彼得堡。但这个念头是晦暗的、模糊不清的；

这是某种不可抗拒的内心呼唤，随着岁月流逝，在叶菲莫夫本人的眼中也丧失了最初的清晰感。当他来到彼得堡时，他已经几乎无意识地行事，只是依照这次旅行的永恒愿望和思考的某种永恒的、古老的习惯，几乎连自己也不知道他该在首都做什么。他的热情是某种惶然不安、易怒、阵发性的东西，仿佛他自己想用这种热情欺骗自己，通过它来确信他身上最初的力量、最初的热度、最初的灵感还没有枯竭。这种连续不断的欣喜让冷静、有条不紊的Б.大感惊讶；他眼花缭乱，敬祝我的继父是未来伟大的音乐天才。他甚至无法另行想象自己同伴未来的命运。但随即Б.睁开眼睛，彻底看透了他。他清楚地看到，这全部的阵发性、狂热和急躁——无非是回想起自己丧失的天赋时的无意识的绝望；甚至，说到底，天赋本身，也许一开始就完全没有那么伟大，大多是盲目，是毫无理由的自信，最初的自我满足和对自身天才的连续不断的想入非非，连续不断的幻梦。"但是，"Б.说，"我无法不对我同伴的奇怪天性感到惊讶。在我面前真真切切发生着一场惶然紧张的意志和内心的无力之间绝望而狂热的斗争。这个不幸的人整整七年只凭着对自己未来荣耀的种种幻想获得满足，以致他根本没有注意他如何失去了我们艺术中最为原始的东西，甚至丧失了最基本的做事机制。与此同时在他杂乱无章的想象中，还一刻不停地创造着最为庞大的未来计划。他不仅想成为一流的天才，成为世界上最出色的小提琴家之一；他不仅已经认为自己是这样的天才——他，还想成为一位作曲家，尽管他全然不了解对位法。但最让我吃惊的是，"Б.补充说，"在这个人身上，尽管完全无能，尽管对艺术技巧仅有最微不足道的认识——却有着那样深刻、那样清晰，而且可以说是本能的对艺术的理解。他如此强烈地感受它，并且本身就理解它，以致如果他迷失在对自己的意识中，不是把自己当成一个深刻的、出于本能的艺术批评家，而是当成献身艺术的人，当成一位天才，也就不奇怪了。有时，他用粗鲁、简单、与任何科学都格格不入的语言跟我说起如此深刻的真理，以至于我一时不知所措，无法理解他是如何识透这一切的。他从未读过任何东西，从未学过任何东西。我对他多有感谢，"Б.补充说，"感谢他和他在我的发展上的建议。至于我，"Б.继续说，"我对自己本身十分泰然。我也酷爱自己的艺术，虽然一走上这条路我就知道我没有太多天分，我将成为真正意义上的艺术的勤杂工；但另一方面，我很自豪我没有像一个懒惰的奴隶那样埋没自然赋予我的东西，而是相反，让它增长了一百倍，如果人们称赞我在演奏中的明晰性，惊讶于技艺的精湛，那么我将这一切归功于不间断的、不知疲倦的工作，归功于对自己力量的清晰认识、自愿的自我消解和永恒敌视倨傲态度，敌视早期的自我满足和懒惰，因为懒惰是这种自我满足的自然结果。"

Б.也曾尝试向最开始他是那样依从的同伴提些建议，却只是徒然激怒了他。他们之间的关系随之变冷。很快 Б.就注意到，他的同伴开始越发经常地被冷漠、忧郁和烦闷所控制，他的热情爆发越来越少，而伴随这一切而来的是某种阴郁、疯狂的沮丧。最后，叶菲莫夫开始搁下他的小提琴，有时整整几个星期都不去碰它。这离完全的堕落已经不远了，很快这个不幸的人就深陷所有的恶习之中。地主预先警告过他什么，也就发生了什么：他沉迷于无节制的醉酒。Б.惊恐地看着他，他的建议不起作用，他甚至不敢说一句话。渐渐地，叶菲莫夫走到了极度玩世不恭的地步：他毫无羞耻地靠花 Б.的钱生活，甚至表现得好像他完全有权这样做。与此同时，生活的资财渐渐耗尽，Б.设法靠教课勉强维持，或受雇在商人、德国人、穷官员的晚会上演奏，尽管不多，但他们还能付点儿钱。叶菲莫夫似乎都不想去注意同伴的困顿，他严苛待之，好几个星期都不肯赐一句话。有一次，Б.以最温和的方式对他说，他最好不要过于忽视自己的小提琴，以免完全疏离了乐器。当时叶菲莫夫就发起脾气来，宣称他执意不再碰他的小提琴，仿佛想象着有人跪在地上求他似的。还有一次，Б.在一场晚会上演奏时需要一个同伴，于是他邀请了叶菲莫夫。这一邀请让叶菲莫夫大为震怒。他暴躁地宣称他不是街头提琴手，不会像 Б.那样卑贱，羞辱高贵的艺术，在卑贱的手艺人面前演奏，他们根本不懂他的演奏和才华。Б.对此一句都没有回答，但叶菲莫夫在同伴出门去演奏的时候，考虑了这个邀请，认为这一切只是在暗示他在靠花 Б.的钱生活，想让他知道，他也该试试赚钱。当 Б.回来时，叶菲莫夫突然开始责备他的行为卑鄙，并宣称他不会再跟他在一起待一分钟。他也的确消失了两天，但第三天他又出现了，就像什么都没发生过一样，又开始继续自己先前的生活。

仅仅由于先前的习惯和友谊，还有 Б.对这个被毁之人的同情，才阻止了他结束如此不堪的生活、与自己的同伴永远分开的意图。最后他们还是分开了。运气向 Б.微笑了：他得到某人强有力的庇护，成功地举办了一场精彩的音乐会。这时他已经是一位出色的艺术家，随即他快速增长的名气也为他在歌剧院的乐队谋得一个位置，在那儿他很快取得了当之无愧的成功。分别时，他给了叶菲莫夫钱，含泪恳求他重回正道。现在，Б.想起他时也不无特殊的感情。与叶菲莫夫的相识是他年轻时最深刻的印象之一。他们一起开始自己的事业，那样热切地相互维系，叶菲莫夫的古怪性情、粗鲁、明显的缺点本身甚至使 Б.更强烈地倾心于他。Б.理解他，他看得透他，也预见了这一切将如何结束。分别时他们拥抱在一起，都哭了。当时叶菲莫夫流着眼泪抽噎着说，他是一个被毁掉的、不幸的人，他早就知道这一点，但现在他只清楚地看到了自己的毁灭。

"我没有天赋！"他最后说，脸色苍白得像死人。

Б.很受触动。

"听着，叶戈尔·彼得罗维奇，"他说，"你在对自己做什么？你不过是用自己的绝望毁掉自己；你既没有耐心，也没有勇气。现在沮丧发作，你就说你没有天赋。不对！你有天赋，我向你保证，你有。我看出这一点，只凭你对艺术的感受和理解就够了。这一点我可以用你的整个生活向你证明。你可跟我讲过你以前的生活呢。那时，同样的绝望不知不觉降临在你头上。那时你的第一位老师，那个怪人，有关他的事你跟我说了很多，是他第一次唤醒了你对艺术的热爱，看准了你的才华。那时你也强烈而沉重地感受到了这一点。就像现在你感受到的一样，但你也不知道自己会怎么样。你在地主家里住不下去，你自己也不知道你想要什么。你的老师死得太早了。他给你留下的只是模糊不清的追求，主要是他没有向你解释清楚你自己。你觉得，你需要另一条路，一条更宽的路，觉得你注定要追求其他目标，但你不明白如何做到，痛苦之中你讨厌那时围绕着你的一切。你贫苦和匮乏的六年并没有白白毁掉，你学习了，你思考了，你意识到自己和自己的力量，你现在了解了艺术和自己的使命。我的朋友，要有耐心和勇气。比我的更令人羡慕的命运在等着你，你是比我强一百倍的艺术家，但是让上帝至少把我十分之一的耐心赐予你吧。正如你那位好心的地主对你说的那样，要学习，别喝酒，主要的是——重新开始吧，从字母表开始。是什么在折磨你？贫苦、匮乏。但贫苦和匮乏造就了艺术家。他们从一开始就形影不离。现在还没人需要你，没人想了解你——可世界就是这样。等一等吧，当他们发现你有天赋，情况就不一样了。嫉妒、无谓的卑鄙行径，更厉害的是，愚蠢会比贫苦更强有力地压向你。天才需要同情，他需要人们理解他。你会看到，当你稍稍达到目标，会有什么样的面孔包围住你。他们不会投入任何东西，并且带着轻蔑看待通过艰难的劳作、困顿、饥饿、一个个不眠之夜在你身上练就的东西。他们不会鼓励，不会安慰你，你这些未来的同伴，他们不会向你指出你身上善与真的东西，而是带着恶意的欣喜，会提起你的每一个错误，会单单向你指出你不好的东西、你犯错的地方，在冷静和蔑视你的表象之下，会像庆祝节日一样庆祝你的每一个错误（好像谁会没有错误一样！）。你狂妄自大，常常不合时宜地骄傲，可能得罪自尊的小人物，这样就倒霉了——你将孤身一人，而他们人多；他们用针刺折磨你。就连我也开始体会到这一点。立刻振作起来吧！你还不算那么贫穷，你可以活下去，不要藐视粗重的工作；劈柴吧，就像我在贫穷的手艺人的晚会上那样劈。但是你没有耐心，你患了自己没耐心的病，你很少单纯，你过于狡猾；你想得过多，给自己的头脑很多工作；你言语上张狂大胆，当你不得不拿起琴弓的时候又胆怯了；你自尊心强，内心却少有勇气。勇敢些吧，等一等，学一学，如果不指望自己的能力，就碰运气走着；你身上有热情，有感觉。或许碰运气会抵达目标，如果没有，也碰运气朝前走吧，无论如何你都不会输，因为赢得的奖赏太高了。这么说，兄弟，我们的碰运气——是一项伟业啊！"

叶菲莫夫怀着深深的情感听着自己往日同伴的话。但在对方说话之间，他脸上的苍白消失了，双颊焕发出红晕，他的眼睛闪烁着不寻常的勇气和希望之火。很快，这种罕见的勇气转化为自信，然后变成平素的傲慢。最后，当 Б.结束自己的劝诫时，叶菲莫夫已经听得心不在焉，不耐烦了。不过他还是热情地握了握他的手，道了谢，很快以自己那套过渡手段，由深深的自毁和沮丧转为极度的傲慢和无礼，骄横地宣称，他的朋友不必担心他的际遇，说他知道如何安排自己的命运，说很快他就有望为自己找到庇护，举办一场音乐会，到那时一举为自己唤来荣耀和金钱。Б.耸了耸肩，但没有反驳他往日的同伴，于是他们分开了，当然，时间并不长。叶菲莫夫立即花掉了给他的钱，又来要了第二次，然后是第三次，第四次……第十次，最后 Б.失去了耐心，推说自己不在家。从那以后叶菲莫夫就彻底不见了。

几年过去了。有一次，Б.排练完回家，在一条小巷，在一家肮脏的小酒馆的入口撞见一个衣着破旧、醉醺醺的人，叫着他的名字。这人就是叶菲莫夫。他模样大变，肤色发黄，一脸浮肿：很明显，放荡的生活给他留下了不可磨灭的烙印。Б.非常高兴，没来得及跟他说上两句话，就被对方拖进了小酒馆。在那儿，在远处一个熏黑的小房间里，他仔细打量自己的同伴。他几乎是衣衫褴褛，穿着一双破靴子；他凌乱的衬衫前襟整个被酒浸透了。他头上的发丝开始变白、脱落。

"你怎么了？现在你在哪里？"Б.问。

叶菲莫夫一开始感到尴尬，甚至害怕，回答得毫不连贯、断断续续，以至于 Б.以为在自己面前的是个疯子。最后，叶菲莫夫承认，除非给他伏特加喝，否则他什么也说不出来，可是小酒馆这边早就不相信他了。说到这里，他脸红了，尽管竭力以某种轻快的手势让自己振作起来，但却流露出某种无耻、做作、惹人厌烦的东西，到头来一切都十分可怜。善良的 Б.的内心唤起了同情，他看到他所担心的事情完全成了现实。不过他还是吩咐拿伏特加来。叶菲莫夫由于感激脸色都变了，不知所措到了那样的地步，以至于眼里含着泪水，准备亲吻他恩人的手。晚餐时，Б.大为惊愕地得知这个不幸的人结了婚。但当他随即得知，他的妻子构成了他全部的不幸和悲伤，这场婚姻彻底扼杀了他所有的才华时，就更加讶异了。

"怎么会这样？" Б.问。

"我啊，兄弟，已经两年没有拿过小提琴了，"叶菲莫夫回答，"村妇、厨娘、没受过教育的粗鲁女人，见她的鬼！我们只有干架，别的什么都不做。"

"那你为什么结婚呢，要是这样的话？"

"没吃的。我认识了她，她有上千卢布，我就一时心血来潮结了婚。她倒也爱上了我，是她自己往我脖子上挂，还有谁推她吗！钱花光了，喝掉了，兄弟——哪儿有什么天才！一切都完蛋了！"

Б.看到，叶菲莫夫好像急于在他面前为自己辩解。

"我把一切都抛弃了，一切都抛弃了。"他补充道。接着他向 Б.宣称，最近他在小提琴上几乎臻于完美，看起来，尽管 Б.是城里最好的小提琴家之一，也跟他完全无法匹敌，如果他想这样的话。

"那到底是怎么回事？" Б.惊讶地说，"你该为自己找个差事啊？"

"不值得！"叶菲莫夫说，挥了挥手，"你们那儿有谁能懂点儿什么呢！你们知道什么？你们一无所知！挑一出芭蕾舞里的曲子胡乱演奏一番——就是你们的行当。高贵的小提琴家你们从没见过，也没听过。干吗要碰你们呢，随你们便吧！"

说到这里，叶菲莫夫再次挥了挥手，在椅子上摇晃了几下，因为他已略有醉意。然后，他邀 Б.去自己那里，但 Б.拒绝了，要了他的地址，向他保证明天会去看他。现在已吃饱喝足的叶菲莫夫嘲讽地看着他往日的同伴，千方百计想用什么刺伤他。他们离开时，他抓起 Б.贵重的毛皮大衣递给他，就像下等人对上等人那样。经过第一个房间，他停下来向酒馆老板和众人介绍 Б.是整个首都的第一也是唯一的小提琴家。总而言之，他在这一刻龌龊至极。

　　然而，Б.第二天早上在楼顶间找到了他，当时我们生活极度贫困，就住在一个房间里。我那时四岁，我妈妈改嫁给叶菲莫夫已经两年。这是一个不幸的女人。先前她当家庭教师，受过良好的教育，长得漂亮，可是由于贫困，嫁给了一位老公务员——我的父亲。她跟他只生活了一年。当我父亲猝然死去，微薄的遗产由他的几个继承人瓜分后，就只剩下妈妈跟我了，还有分给她的那点儿微不足道的钱。怀里抱着个小孩子去做家庭教师是很困难的。就在这时，以某种偶然的方式，她与叶菲莫夫相遇并实实在在爱上了他。她富于热情，爱幻想，她把叶菲莫夫看成某种天才，相信他关于光明未来的傲慢之语；她的想象因为能做一个天才的支柱和领导者的光荣命运而获得了满足，于是就嫁给了他。头一个月，她所有的梦想和希望就消失了，面前只留下凄惨的现实。叶菲莫夫和我母亲结婚，也许真是因为她有上千卢布，所以一旦花完，他就两手一抄，仿佛很高兴有了个借口，立即向所有人宣布，婚姻毁了他的才华，说他无法在憋闷的房间里工作，与挨饿的一家人面面相觑，在这儿脑子里生不出歌曲和音乐。最后还说，很明显，他命里已然写着这种不幸。随后，看起来他本人也相信了自己这通抱怨有道理，而且，看来对新的借口感到高兴。看来，这个不幸的、毁掉的天才本身正在寻找一个外部机会，可以把所有失败、所有灾难推到上面。确信那个令人恐惧的想法，即对艺术而言他早已毁掉，而且永远毁掉了，他办不到。他像对付痛苦的噩梦那样，抽搐着与这令人恐惧的结论搏斗。最后，当现实战胜了他，当他的眼睛睁开了几分钟，他觉得，他就要因为恐惧而发疯了。他不能这样轻易对如此之久地构成他整个生活的东西失去信心，直到自己的最后一分钟还在想，这一分钟尚未过去。在怀疑的时候，他沉湎于酗酒，以其不成体统的醉意驱走他的痛苦。最后，他，也许自己并不知道，这段时间他的妻子多么必不可少。这是一个活的借口，事实上，我继父差点儿让那种想法弄得神经错乱，以为当他埋葬毁了他的妻子时，一切就走入正轨了。可怜的妈妈不理解他。她像一个真正爱幻想的人那样，连充满敌意的现实中的第一步都没能经受住：她变得脾气暴躁、刻毒、爱骂人，经常跟丈夫吵架，后者以折磨她为乐事，她不停地赶他去工作。但我继父的盲目、固定不变的观念，他的狂妄作为，使得他几乎没有人性也没有情感。他只是笑一笑并发誓在他妻子死前决不会拿起小提琴，并以残酷的坦率向她宣称这一点。而妈妈，无论怎样也罢，直到自己死前都狂热地爱着他，可是不能忍受这样的生活。她总是病恹恹的，总是遭罪受苦，活在不断的折磨中，除却这一整份的悲苦，操持一家人吃饭的事全落在她一个人身上。她开始准备饭食，起初在自己家为通勤的人开了一张餐桌。但丈夫从她那里悄悄偷走了所有的钱，逼得她常常不得不给主顾送去空的餐具，而不是午餐。当 Б.拜访我们时，她正在洗衣服，重新染一条旧衣裙。就这样，我们在楼顶间里勉强度日。

我们一家的贫困令 Б.大为震惊。

"听着，你说的全是一派胡言，"他对继父说，"这里哪儿有被戕害的天才？是她在养活你，可你又做了什么？"

"什么也没有啊！"继父回答。

但 Б.还不了解妈妈的全部不幸。丈夫经常把各种各样胡作非为的捣蛋鬼带进家门，那时简直什么事都干！

Б.久久地劝说自己往日的同伴，最后宣称，如果他不想改正，那他什么忙都不会帮了；直截了当地说，不会再给他钱，因为他又会把钱喝光；最后，他请求叶菲莫夫用小提琴为他演奏一曲，看看能为叶菲莫夫做点儿什么。当继父去拿小提琴时，Б.悄悄把钱给我母亲，但她没有收——这是头一次她被迫接受施舍！这时 Б.就把钱给了我，可怜的女人泪流满面。继父拿来小提琴，但他要先来点儿伏特加，说没有它他就不能演奏。于是就派人去买伏特加。他喝下去，活络起来。

"我给你奏一首我自己的东西，为了友情。"他对 Б.说，随后从抽屉柜下面抽出一个厚厚的、满是灰尘的笔记本。

"这都是我自己写的，"他指着笔记本说，"你看看就知道了！这些，兄弟，不是你们那些芭蕾舞曲！"

Б.默默地看了几页，然后他展开随身携带的乐谱，要继父把自己作的曲子放在一边，从他自己带来的东西里奏上一曲。

继父有些生气，不过由于害怕失去新的庇护，便执行了 Б.的吩咐。随即 Б.看到，他往日的同伴在他们分开这段时间确实多有练习和收获，虽然他吹嘘自从结婚后就没拿过乐器。真应该看看我可怜的母亲那副高兴的样子：她望着丈夫，重又为他感到骄傲。善良的 Б.由衷感到高兴，决定为继父做出安排。当时他已经有了很多关系，即刻开始询问并向人推荐他那可怜的同伴，并得到了他的预先承诺，说他会好好表现。Б.又自己出钱让他穿得好些，带着他去见了几位名人：Б.想为他谋取的位置就取决于这些人。事实上，叶菲莫夫妄自尊大只是口头上的，看起来他十分高兴接受自己这位老朋友的提议。Б.说到此事，说他渐渐为所有奉承和自卑自贱的崇拜感到羞耻，继父以此极力讨好他，害怕弄不好就失去他的垂爱。他明白，他被引到了一条好路上，甚至不再喝酒了。最后，总算在剧院乐队为他找到了一个位置。他顺利通过了考试，因为一个月的勤勉工作召回了一年半无所作为而失去的一切，他许诺今后练琴并认真准确地履行新的职责。但我们一家的处境却完全没有改善。继父连一个戈比的薪水都没给妈妈，他自己全都花掉了，跟新朋友们一起喝光吃净，很快就交上了整个圈子。他主要跟剧院员工、合唱队员、陪衬演员交好——总而言之，就是跟那些他可以在其中占据首位的人在一起，避开真正有才华的人。他得以唤起他们对自己的某种特殊的尊重，即刻向他们灌输，说他是个未被承认的人，他有伟大的天赋，是妻子毁了他。还有，说到底，他们的乐队长对音乐一窍不通。他嘲笑乐队的所有演奏员，嘲笑搬演曲目的选定，最后还嘲笑演出过的歌剧的作者。最后，他开始解释某种新的音乐理论——总之，他让整个乐队厌烦，与同事、乐队长吵架，对上级无礼，获得了最麻烦、最爱争吵，同时也是最无足轻重之人的名声，到了让所有人都难以忍受的地步。

的确，看到这样一个微不足道的人，这样一个糟糕、无用的表演者和粗心大意的乐师，同时又有着这般巨大的自负，这般自我夸耀，这般妄自尊大，这般粗鄙的仪态，的确会让人感到特别奇怪。

最后结果是，继父跟 Б. 吵了架：他编造出最下流的谣言、最卑鄙的诽谤并把它当成显而易见的事实放出去。在半年的不守规矩的工作之后，他因玩忽职守和醉酒行为被赶出乐队。但他并没有那么快就离开自己的地方。很快人们就看到他穿着从前的破衣烂衫，因为像样的衣服全都被卖掉、典当了。他开始去找以前的同事，无论他们喜不喜欢这样的客人，散布谣言，胡说八道，抱怨自己的生活境遇，并让所有的人都来看看他的凶悍之妻。当然，也算找到了一些听众：找到那种乐于灌醉这位被逐的同事，让他胡说八道的人。此外，他说话总是犀利而睿智，在自己的言辞中掺杂了刻薄的怒火和种种玩世不恭的花样，让一些听众很是喜欢。他被当成某种癫狂的小丑，时常让他闲聊一阵也很惬意。人们喜欢取笑他，在他面前谈论某位新来访的小提琴家。听到这话，叶菲莫夫的脸色一变，畏怯起来，打听来人是谁，新的天才是谁，并立刻就开始嫉妒他的名气。看来，正是从这个时候开始了他真正系统性的精神错乱——他一成不变地认为自己是首屈一指的小提琴家，至少在彼得堡是这样，但他遭受命运的迫害，被人欺侮，因为各种阴谋而不被理解，处于默默无闻之中。最后这一点甚至让他很是得意，因为就有这样的人物，乐于自认被侮辱和被压迫，大声抱怨或暗中安慰自己，崇拜着自己的不为人知的伟大。所有彼得堡的小提琴家他一个不落全都认识，照他的理解，他在他们中间找不到任何对手。认识这位不幸的癫狂之人的行家和爱好者们，都喜欢在他面前谈论某位有名的、有才华的小提琴家，以便让他说点儿什么。他们喜欢他的愤怒、他的刻薄言论；他们喜欢他所说的实际而睿智的东西，欣赏他在批评自己假想的对手的演奏时说的话。人们常常不明白他的话，但他们确信，世界上没有人能够如此巧妙，以如此生动的讽刺画来描绘现代音乐名人。就连他那样嘲笑过的艺术家本人，也都有点儿怕他，因为他们知道他的刻薄，承认他的攻击中肯，在需要辱骂的情况下，他的判断是正确的。人们不知怎么已经习惯在剧院的走廊和幕后看到他。杂役们放他畅行无阻，就像是个不可缺少的人，而他成了某种本土的忒耳西忒斯。这样的生活持续了两三年，但是终于，甚至他最后这一角色也让所有人厌烦了。随即就是正式的驱逐，于是在他生命的最后两年里，他就如石沉大海，任何地方都见不到他。不过，Б.还是见过他两次，但他的样子是如此可怜，以至于同情再次战胜了厌恶。Б.招呼他，但继父生气了，做出一副好像什么都没听见的样子，把那顶变了形的旧帽子拉到眼睛上，从旁边走了过去。最后，在某个盛大的节庆日，有人一早通报Б.，说他原来的同事叶菲莫夫前来祝贺。Б.走到他跟前。叶菲莫夫醉醺醺地站在那儿，开始极低地躬身行礼，差点儿碰着双腿，嘴唇翕动着什么话，执意不愿走进房间。他这样做的意思是，我们这些没才华的人，哪能跟您这样的显贵交往；对我们这些小人物来说，有个仆人的地方祝贺节日就够了；我们鞠个躬就离开这儿。总而言之，一切都很腻烦、愚蠢，令人厌恶地肮脏。从那以后，Б.很长一段时间没再见过他，直到那场灾难降临，整个悲惨、痛苦和乌烟瘴气的生命就此完结。它是以一种可怕的方式完结的。这场灾难不仅紧密联系着我童年的最初印象，而且甚至联系着我的整个生命。它是以这种可怕的方式发生的……但首先我要解释一下我的童年是怎样的，这个如此痛苦地反映在我的最初印象中并导致我可怜的妈妈死去的人，对我来说意味着什么。

二

我很晚才记得自己的事，那是从八九岁时才开始的。我不知道，这个年纪之前发生的一切怎么会没给我留下任何清晰的印象。但从八岁半开始我就清楚地记得每件事，日复一日、连续不断，仿佛从那以后无论发生什么，一切都远不过昨天。的确，我可以像做梦那样记起更早的一些事情：黑暗角落里燃着长明油灯，在古老的圣像旁边；然后，有一次我在街上被一匹马撞倒，我后来被告知，这就是为什么我卧病了三个月；还有在这次伤病期间，夜里我在一起躺着的妈妈身边醒来，就像我突然受惊于伤痛的梦境、夜的沉寂和在角落里抓挠的老鼠，我整夜吓得发抖，藏在被子底下，却不敢叫醒妈妈，由此我认定，我害怕她甚于任何恐惧。但从我开始突然意识到自己的那一刻起，我的大脑就迅速、出乎意料地发育了，许多完全不属于孩子的印象对我来说变得可怕地明白易懂。一切都在我面前变得明朗起来，一切都异常急速地变得清楚明了。我开始清楚记得自己的那个时期，在我内心留下了强烈而悲伤的印象；这种印象随后每天都在重复，每天都在增长；它将黑暗和奇怪的色调投在我跟父母的生活上，因而同时也投在我的整个童年上。

现在我觉得自己突然清醒了，就像从沉睡中醒来一样（诚然，这一点当时对我来说并不那么令人惊讶）。我置身于一个大房间里，天花板很低，里面室闷又不干净。墙壁上涂着脏兮兮的灰色油漆，角落里有一个巨大的俄罗斯式炉子，窗户朝向街道，或者，不如说，是朝着对面房子的屋顶，它们又矮又宽，像一道道裂缝。窗台离地板那么高，我记得，我不得不摆上椅子、长凳，然后才能设法够到窗口，没人在家的时候我喜欢坐在那儿。从我们的住所可以看到半个城市：我们住在一幢六层的、巨大房子的屋顶下。我们的全部家具就是一只漆布面沙发的残余，满是灰尘和外翻的韧皮纤维，一张简单的白色桌子，两把椅子，一张妈妈的床，角落里有个装着什么东西的小橱，一个永远侧歪着的抽屉柜，以及几面残破的纸围屏。

我记得，时值黄昏，什么都杂乱无章、四处散落：刷子、破布、我们的木制碗碟、破瓶子，还有些不知是什么东西。我记得，妈妈异常冲动，因为什么事哭了起来。继父坐在角落里，穿着他一直穿的破旧的常礼服。他冷笑着答了她一句，让她更生气了，这时刷子和碗碟又飞到了地板上。我哭了起来，尖叫着冲向他们两个。我吓坏了，紧紧地抱住爸爸，用自己来保护他。上帝知道为什么我觉得妈妈跟他发脾气毫无道理，他没有过错；我想为他请求原谅，为他承受任何惩罚。我非常害怕妈妈，也认为所有人都这样害怕她。妈妈一开始很惊讶，然后她抓住我的胳膊，把我拉到围屏后面。我的胳膊撞在床上，很疼；但惊恐甚于疼痛，所以我连眉头都没皱一下。我还记得，妈妈开始痛苦而激动地对父亲说了些什么，指着我（我会在这个故事中继续称他为父亲，因为很久以后我才发现他不是我的生父）。整场吵闹持续了大约两个小时，而我，因期待而颤抖着，竭力猜测这一切会如何结束。最后，争吵平息了，妈妈出门去了什么地方。然后父亲把我叫过去，亲了亲、抚摸我的头，让我坐在他膝头，我紧紧地、甜蜜地贴着他的胸口。或许，那是父母的第一次爱抚，或许这就是为什么我从那时起就开始如此清晰地记得一切。我也注意到，我赢得父亲的宠爱是因为我袒护了他，而就在这时，我似乎第一次被一种想法所震撼，即他忍让、承受了很多妈妈带来的痛苦。从那时起这种想法就一直留在我心里，一天比一天让我更加愤愤不平。

从这一刻起，我内心开始了对父亲的某种无止境的爱，但那是一种奇妙的爱，好像根本不是小孩子该有的。我想说，这更像是一种出于同情的、母性的情感，如果这样定义我的爱对一个孩子来说不是有点儿好笑的话。父亲让我觉得总是那样可怜，那样忍受迫害，那样被压制，以至于对我来说，不去神魂颠倒地爱他，不安慰他，不对他亲热，不竭尽全力为他着想，是一件可怕的、不近人情的事情。但直到如今我仍不明白，为什么我偏偏会有这种想法，认为我父亲是世界上那样一个受难者，那样一个不幸的人！是谁向我灌输了这个呢？用什么办法，我，一个孩子，能够对他个人的种种失败哪怕有一点点理解呢？可我理解它们，尽管我按自己的方式在想象中扭曲、改造了一切，但直到如今我仍无法想象，我内心是如何形成了这样的印象的。也许，是妈妈对我太严厉了，于是我就依恋父亲，就像依恋一个我认为和我一起受苦的人。

我已经讲了我从婴孩之梦中第一次觉醒，我生命中的第一个动作。我的心从第一个瞬间就受到了伤害，继而以一种难以理解的、令人疲惫的急速开始了我大脑的发育。我已经不能满足于单一的外在印象了。我开始思考、推断、观察，但这种观察的发生早得不自然，以至于我的想象力不能不把一切按自己的方式加以改造，于是我便突然无意间进入了某个特殊的世界。我周围的一切都变得像我父亲常对我讲的那个神奇的童话，那个时候，我不能不把它当成纯粹的真实。奇怪的概念诞生出来。我很清楚地了解到——但我不知道这是怎么发生的——我生活在一个奇怪的家庭里，我的父母完全不像那时候我碰巧遇见过的那些人。"为什么，"我想，"为什么我看其他的人，不知怎么一看就不像我父母那样？为什么我注意到其他人脸上的笑容，为什么我立刻感到惊讶，在我们的角隅里从来都不笑，从来都不高兴？"是什么力量、什么原因使得我，一个九岁的孩子，那样勤勉地观察并倾听那些人的每一句话，当我在傍晚时分，用妈妈那件旧上衣遮住自己的一身破布，走进商店买几个铜钱的糖、茶叶或者面包的时候，偶然或在我们的楼梯上，或在街上遇见的那些人？我明白了，但不记得是怎么明白的，在我们的角隅里——有某种永恒的、无法忍受的悲伤。我绞尽脑汁，竭力猜测为什么会这样，不知道是谁帮我按自己的方式猜透这一切的。我责怪我的母亲，我认为她是我父亲的恶人。我再说一遍：我不明白，这种骇人的概念是怎么在我的想象中形成的。我有多么依恋我父亲，就有多么痛恨我可怜的母亲。直到如今，这一切的记忆仍深刻而痛苦地撕扯着我。但还有一件事，比第一件更能让我奇怪地接近父亲。一次，晚上九点多钟，妈妈派我去杂货店买酵母，爸爸不在家。回来时，我摔倒在街上，把碗整个撒掉了。我最先想到的是妈妈会多么生气。与此同时我感到左胳膊疼得厉害，无法站起来。我周围过路的人们停下，一个老妇人开始扶我起来，一个男孩从我身边跑过，用钥匙敲我的头。最后，他们扶我站稳当了，我捡起破碗的碎片，摇晃着勉强挪动双腿，突然间我看见了爸爸。他站在一座富人房舍前的人群中，就在我们的房子对面。这座房子属于某些显贵人物，装饰得金碧辉煌，门廊旁有很多马车，阵阵乐声从窗里飘到街上。我抓住爸爸常礼服的衣襟，让他看摔破的碗，开始哭着说，我害怕去见妈妈。我好像确信他会袒护我。但我为什么确信，是谁暗示我，谁教我认为他比妈妈更爱我呢？为什么我毫无畏惧地接近他呢？他拉着我的手，开始安慰我，然后说，他想给我看件什么东西，还把我抱了起来。我什么也看不见，因为他抓住我碰伤的手臂，让我疼得要死，但我没有喊叫，怕让他伤心。他一直问我看到什么没有。我尽我最大的努力去取悦他，回答说，我看到了红色的窗帘。当他想带我到街对面，离房子更近的时候，我不知为何突然哭了起来，搂住他并求他快点儿上楼，回妈妈那里。我记得，那时父亲的爱抚让我觉得更难受了，我无法承受一个我那样想去爱的人——疼我、爱我，而另一个我却不敢甚至害怕去靠近。但妈妈几乎完全没有生气，就打发我去睡觉。我记得，手臂上的疼痛越来越强烈，让我发了热病。不过我特别高兴的是，一切都如此顺利地结束了，这一整夜我都梦见邻近的那座挂红色窗帘的房子。

于是当我第二天醒来，第一个念头，我第一件惦记的事就是挂红色窗帘的房子。妈妈刚刚出门，我就爬上窗户开始看它。这房子已然激发了我孩童的好奇心。我尤其喜欢在傍晚看它，此时街上燃起灯火，光照明亮的房子的整块玻璃后面，那些紫红的帷帘开始闪耀血色的、特别的闪光。几乎总是有华丽的马车驶近门廊，套着漂亮、高傲的马匹，一切都吸引了我的好奇心：门口的叫喊和骚动、马车上的各式灯笼以及乘车到来的、穿着漂亮的女人。这一切在我童年的想象中都有了某种君王般的豪华和童话般魔力的样貌。现在呢，我在那里遇到父亲后，这座房子对我来说变得加倍不可思议和令人好奇。现在，在我深感震惊的想象中开始产生种种奇妙的概念和假设。而我也并不吃惊，在母亲和父亲这种古怪的人中间，我自己也变成了那样怪异的、奇妙的孩子。我特别惊奇他们的性格反差。例如，妈妈永远关心、忙活着我们贫穷的家庭，永远责备父亲，说她一个人是所有人的苦力。于是，我不由得向自己提问：为什么爸爸一点儿都不帮她，为什么他就像外人一样住在我们家？妈妈的几句话让我对这件事有了点儿概念，我稍感惊讶地得知爸爸是个艺术家（这个词被我保留在记忆里），爸爸是个有才华的人。在我的想象中立刻形成了一个概念，即艺术家是某种特殊的人，不像其他人那样。也许，是父亲的行为本身将我引向这个念头；也许，我听到了什么，可它现在已离开了我的记忆；但父亲话里的意思很奇怪地能让我明白，那是有一次他在我面前怀着某种特殊的感情说的。他说，有朝一日，他不再贫穷，到时候他自己就成了老爷和富人；还有，当妈妈死去时，他最终会再次复活。我记得，一开始我让这些话吓得要死。我无法待在房间里，就跑到我们寒冷的穿堂，臂肘撑着窗户，两手捂住脸，号啕大哭。但是后来，当我不停地思忖这件事，当我习惯了父亲这可怕的愿望时，幻想突然之间前来帮忙了。是的，我自己也不可能被未知困扰太久，我必须停在某种假设上。所以，我不知道，这一切起初是怎样开始的，但最后我停在了这一点上，那就是，当妈妈死去时，爸爸会离开这间令人烦闷的住所，与我一起去某个地方。可是去哪儿呢？我直到最后也都无法弄清楚。我只记得，我一门心思认定我们会一起去，所有我能用来装饰我跟他一起去的地方的东西，所有能在我的幻想中创造出辉煌、浮华和壮丽的东西，所有的东西都在这些梦想上发挥了效力。我觉得，我们立刻会变得富有；我不会被差遣着去杂货店，这件事对我来说十分艰难，因为我走出房门，邻近房子里的孩子们就总是欺负我，这让我非常害怕，尤其是当我拿着牛奶或黄油的时候，我知道如果我弄洒了就会受到严厉的惩罚；然后，我拿定主意，幻想着，爸爸会立刻为自己做一件好衣服，我们会住在华美的房子里，而现在——这个挂着红色窗帘的富丽堂皇的房子，和在它旁边与爸爸的相遇，他想给我看里面的什么东西——这些都来帮我想象了。立刻在我的设想中形成的是，我们正是要搬进这座房子，在里面生活，置身永恒的喜庆和永恒的幸福之中。从那以后，每到傍晚，我就怀着紧张的好奇从窗户看这座对我来说神奇的房子，想起抵达的场景，想起那些来客，那些我从未见过的装扮漂亮的人；我仿佛听见由窗外飞来的阵阵甜美的音乐；我凝视着窗帘上闪动的人影，努力去猜测他们在做什么——一切都让我觉得，那里是天堂和永远的节日。我恨我们可怜的住处，恨自己穿的破衣烂衫，有一天妈妈对我大声喊叫，命令我从惯常爬上的窗台上下来，我脑子里顿生一念，觉得她就是不想让我看那座房子，不让我去想它。我们的幸福让她不快，这次她就想碍事……整个晚上我都在专注而怀疑地看着妈妈。

我内心怎么能够产生这样的残忍，来对待像妈妈那样一个永远受苦的人？直到现在我才理解她饱受苦难的一生，回想起这个蒙难者就不无心痛。即使在当时，在我奇异童年的黑暗时代，在我最初生命的不自然发展的时代，我的心常常因痛楚和怜悯而缩紧——焦虑、困惑和怀疑落入我的心灵。即使在那时，良知已经在我心中升起，我经常怀着痛苦和忧戚，觉得自己对妈妈不公平。但我们之间有些疏远，我不记得我跟她亲近过哪怕一次。现在，常常是最微不足道的记忆刺痛和震颤着我的灵魂。有一次，我记得（当然，我现在要讲的事情是微不足道、粗俗的，但正是这样的回忆不知为何特别令我痛苦，甚于任何印刻在我记忆中的东西）——有一次，一天晚上，当时父亲没在家，妈妈差遣我去杂货店给她买茶叶和糖。但她一直在想，一直在犹豫，出声地数着铜钱——她能够支配的可怜的数目。我想，她数了有半个小时，可还无法完成清点。况且在别的时刻，可能是出于悲伤，她会陷入某种胡言乱语。而现在我记得她一直说着什么，一边数着，声音很轻，不紧不慢，仿佛是无意之中随口而出；她的嘴唇和脸颊很苍白，双手总在颤抖，独自思考时总是摇着头。

"不，不需要，"她说，看了我一眼，"我还是去睡觉吧。嗯？你想睡吗，涅朵奇卡？"

我默不作声，她托起我的头，看着我，那样平静，那样亲切，她的面容清朗起来，焕发着那样充满母爱的微笑，让我的心一阵酸痛，狂跳不已。此外，她叫我涅朵奇卡，意味着这一刻她特别喜爱我。这个称呼是她自己发明的，怀着爱意把我的名字，安娜，改成一个小名涅朵奇卡，当她这么叫我的时候，就意味着她想爱抚我。我受了感动，我想抱住她，依偎着她，和她一起哭。她，可怜的女人，而后久久抚摸着我的头——也许已经是机械地，忘了她在爱抚我，一直在说："我的孩子，安涅塔，涅朵奇卡！"泪水拼命要涌出我的眼眶，但我克制自己，坚持住了。我不知为何很是固执，不肯在她面前表露我的感情，尽管自己很难受。是的，这不可能是我内心天生的残酷无情。她不可能单单凭着对我严厉就那样激起我逆着她。不！我被我对父亲的那种幻想的、不同寻常的爱给毒害了。有时我会在晚上醒来，在角落里，在我的小床上，在冰冷的毯子下面，而我总是不知为何感到可怕。在梦中我回想到，还是在不久以前，当我小一些的时候，我和妈妈睡在一起，晚上醒来也不那么害怕：只要依偎着她，眯起眼睛并紧紧抱住她——很快，也就睡着了。我仍然觉得，我还是不得不悄悄地爱她。我后来注意到，许多孩子往往是畸形地缺乏感知，如果他们爱上谁，就会格外地爱。我的情况也是这样。

有时我们的角隅里几个星期都是死一般的寂静。父亲和母亲会厌倦争吵，而我照旧生活在他们之间，总是沉默，总在思考，总在发愁又总在我的种种梦想中获得什么。望着他们两个，我完全明白了他们之间的相互关系：我明白了他们那种无声的、永恒的敌意，明白了栖身我们角隅的无序生活这全部的痛苦，这全部的乌烟瘴气——当然，明白也不知因果，我能明白多少就明白多少。有时候，在漫长的冬夜，藏身某处角落，我接连好几个小时观察他们，仔细审视父亲的脸，竭力猜测他在想什么，是什么占据着他的心思。然后，我又被妈妈惊吓到了。她一直在房间里走动，不知疲倦，来来回回一连好几个小时，常常甚至是夜里，在她为失眠所苦的时候，一边走，一边暗自嘀咕着什么，就像房间里只有她一个人，时而摊开两只手，时而把它们交叉在胸前，时而在某种可怕的、无尽的烦闷中扭折着它们。有时泪水在她的脸上流淌，这泪水，常常连她自己可能都没意识到，因为有时她已陷入遗忘。她有一种很难治愈的病，她对此完全忽视了。

我记得，我的孤独和我不敢打破的沉默让我越来越苦恼。已经一整年我过着有意识的生活，思考着、梦想着，暗暗被一些无人知晓、不甚清晰的追求折磨着，这些追求在我的内心生发。我变得孤僻，仿佛在森林中。最后爸爸第一个注意到我，把我叫到近前，问我为什么那样专注地看他。我不记得我回答了他什么：我记得，他为着什么沉思起来。最后，他看着我说，明天他就给我带来识字课本，开始教我读书。我急不可耐地等待着识字课本，一整夜都在梦想中度过。终于，第二天，父亲真的开始教我了。我从三言两语中就明白了他对我的要求，我学得很快，因为我知道这能让他高兴。这是我当时生活中最幸福的时光。当他夸奖我的理解力、抚摸我的头并亲吻我时，我立刻欣喜得哭了起来。渐渐地，父亲喜爱上了我；我已经敢于跟他说话了，我们经常聊上几个小时也不累，尽管有时我一句都听不懂他对我说的话。但我有些怕他，害怕他会认为我跟他在一起无聊，所以我竭尽全力向他表明我什么都明白。傍晚跟我一起坐着最终变成他的习惯。天一开始黑下来，他回到家，我就马上拿着识字课本去找他。他让我坐在长椅上面对着他，课后他就开始读一本什么书。我什么都不懂，但我哈哈笑个不停，觉得这会为他带来快乐。的确，我占据了他的心思，他看我笑也很开心。就在这段时间，一天下课后，他开始给我讲童话故事。这是我听到的第一个童话。我像中了魔法似的坐在那儿，焦急不安地听他讲，跟随故事飞到了某个极乐之地，到故事结束时已是欣喜若狂。并不是童话故事对我产生了如此的影响，不是，而是我把一切都当成了事实，马上就随意发挥起自己丰富的想象力，立刻把虚构跟现实混淆起来。立刻出现在我想象中的还有那座挂红色窗帘的房子。随即，不知是怎么回事，出现了戏剧人物一般的我的父亲，可正是他本人在向我讲述这个童话，还有妨碍我们俩去什么地方的妈妈。最后——或者，应该说是首先——是我，怀着神奇的幻梦，想入非非的脑袋里充满疯狂的、不可能的怪影——这一切在我的脑海里那样混杂一起，以致很快就形成最丑陋不堪的乱象，有些时候我丧失了任何分寸感、任何真实的辨别力，上帝才知道活在什么地方。在这种时候我焦急得要死，想跟父亲谈谈未来有什么等待着我们，他自己期待着什么，当我们最终离开我们的楼顶间，他会带着我一道去哪里。我确信，从自己这边来说，这一切很快就会发生。但如何发生，这一切会是什么样子——我不知道，只是折磨着自己，绞尽脑汁想这件事。时常——这种情况尤其发生在傍晚——我觉得，爸爸随时会偷偷地向我眨眨眼，叫我去穿堂；而我，悄悄溜过妈妈身边，拿起我的识字课本，还有我们的画，一张蹩脚的石印画，不知从何时起就一直不带画框挂在墙上，我决意一定带上它，我们要悄悄逃去某个地方，这样我们就再也不返回妈妈这里了。有一次，当妈妈不在家的时候，我选了父亲特别愉快的时刻——这发生在他稍稍喝了点儿酒的时候——走到他身边，开口说起什么，意在立刻转到我珍爱的话题上。终于我设法让他笑了，而我，紧紧抱住他，心颤抖着，完全吓坏了，就像准备谈论某种神秘而可怕的事，开始毫不连贯、每一步都磕磕绊绊地问他：我们要去哪里，快了吗？随身要带上什么，要怎么生活，还有，最后，我们是否要去挂红色窗帘的房子？

"房子？红色窗帘？什么意思？你在胡说什么，傻孩子？"

这时，我比先前更加害怕，开始向他解释，当妈妈死的时候，我们不会住楼顶间了，他会带我去某个地方，我们两个会很富有，很幸福。最后，我向他保证，这是他自己答应我的。我在说服他的时候，完全相信父亲以前确实对我说过这件事，至少我是这么想的。

"母亲？死了？母亲什么时候死？"他重复道，惊讶地看着我，皱着他那浓密、灰白的眉毛，脸色稍有变化，"你这是在说什么，可怜的傻孩子……"

他开始骂我，久久地跟我说我是个傻孩子，我什么都不懂……我不记得还说了什么，只知道他很伤心。

他的责备我一句也听不懂，不明白他有多么痛苦，因为我仔细听了他在愤怒和深深的愁闷中对妈妈说的话，记熟了它们又暗自想了很多。不管他当时是什么样，不管他自己的癫狂行为有多么严重，但是这一切，自然会令他十分震惊。然而，尽管我完全不明白他为什么生气，我还是非常痛苦和悲伤，我哭了起来，我觉得，等待我们的一切是那样重要，让我这个傻孩子，既不敢说，也不敢想这件事。此外，尽管从第一句话开始我就没明白他的意思，但我隐隐约约感觉到我对不起妈妈。惊恐与惧怕向我袭来，一阵怀疑潜入内心。当时他，见我又是哭，又是委屈难过，便开始安慰我，用袖子为我擦去泪水，叫我不要哭，但我们两人默默坐了一段时间；他皱着眉头，好像在反复考虑着什么，然后他又开始跟我说话；但无论我如何集中注意力，无论他说什么，我都觉得极其不清楚。凭着这次交谈中至今我仍记得的某些话，我得出结论，他在向我解释他是谁，他是个多么伟大的艺术家，任何人都不理解他，他是个很有才华的人。我还记得，在问过我是否明白，当然，也得到了满意的回答后，他让我重复：他有才华吗？我回答："有才华。"对此他轻轻笑了几声，因为可能最后他自己也觉得可笑，他竟然跟我说起一个对他来说如此严肃的话题。我们的谈话被卡尔·费奥多雷奇的到来所打断，随即我笑了，完全快活起来，因为当时爸爸指着他，对我说：

"可是卡尔·费奥多雷奇连一个戈比的才华都没有。"

这个卡尔·费奥多罗维奇是个非常有趣的人物。我在那段时期见过的人很少，以至于我永远无法忘记他。现在我对他的印象是：他是德国人，姓梅耶尔，生于德国，怀着加入彼得堡芭蕾舞团的强烈愿望来到俄罗斯。但他的舞技很差，甚至都不能收他做群舞演员，只能在剧院里做配角。他扮演了福丁布拉斯的随从中各种不说话的角色，或者维罗纳的众骑士之一，这些人齐刷刷地，为数二十人，举起硬纸板做的短剑，高呼："为国王而死！"不过，可以肯定的是，世界上没有一个演员像这位卡尔·费奥多雷奇那样，如此热忱地忠实于自己的角色。他一生中最糟糕的不幸和痛楚是他没能进入芭蕾舞团。他将芭蕾艺术置于其他所有艺术之上，从某一点上看，他依恋它，就像爸爸对待小提琴那样。他们还在剧院工作时，他就跟爸爸交了朋友，从那以后这位退休的群舞演员一直没离开他。两人经常见面，两人都哀叹自己命运不济，不被人认可。德国人是世界上最敏感、最温柔的人，对我的继父怀有最真诚、最无私的友谊；但是父亲，好像不是特别倾情于他，只是在熟人之中容忍他，因为也没什么别人。此外，爸爸以其自身的排他性，无论如何无法理解芭蕾——也是一门艺术，这让可怜的德国人气得快哭了。爸爸知道他这根脆弱的弦，就总是去触碰它，当可怜的卡尔·费奥多罗维奇情绪激动，发起脾气，提出反证的时候，爸爸就嘲笑他。我从 Б.那里听了很多有关这位卡尔·费奥多罗维奇的事，他将其称为纽伦堡的咬核桃小人。Б.讲了很多他跟父亲的友谊；顺便说一句，他们不止一次聚在一起，喝下几杯之后，他们开始一起哭自己的命运，哭他们不被认可。我记得这些聚会，也记得，看着两个怪人，有时我也哼哼唧唧地哭起来，自己也不知道为什么。这总是发生在妈妈不在家的时候：德国人特别怕她，总是在穿堂站一会儿，等着有人出来，如果他得知妈妈在家，就会立刻跑下楼梯。他总是带来一些德国诗歌，激情似火地给我们两个人读，然后朗诵它们，用蹩脚的俄语翻译过来以便我们理解。这让爸爸十分快乐，而我有时也笑得流出眼泪。但有一次他们两人弄到一篇俄罗斯的作品，极大地燃起了他们的激情，以至于后来他们在一起时几乎总要读它。我记得，那是一位著名的俄罗斯作家创作的诗剧。我把这本书的开头几行背得那样熟，以至于后来，已经过了好几年，当我偶然拿到这本书时，我毫不费力地认出了它。这部戏剧诠释了一位伟大的艺术家的种种不幸，叫什么热纳罗还是贾科博，在某一页他喊道："我不被承认！"而在另一页："我被承认了！"或者："我没有才华！"然后，隔了几行："我很有才华！"一切结束得很凄惨。当然，这部剧是极其庸俗的作品；但神奇的是——它以最天真和悲剧性的方式影响了两位读者，他们发现主人公身上与自己有很多相似之处。我记得，有时卡尔·费奥多罗维奇激情燃烧到那种程度，以至于从座位上跳起来，跑到房间对面的角落，不依不饶、令人信服、眼中含着泪水，请求爸爸和被他称为"小姐"的我当即就他与命运、与公众之事做出评判。他当即开始跳舞，做出各种步法，对我们喊叫，让我们马上告诉他，他是谁——是不是艺术家，是否有可能说出相反的话，即他没有才华？爸爸一下子高兴起来，悄悄朝我眨了眨眼睛，好像在预先通知，他马上就要开心地嘲弄一下德国人。我觉得可笑极了，但爸爸做手势吓唬我，我便克制自己，因为想笑而喘不上气来。即使是现在，一旦想起来我仍然无法不笑，就好像我现在能看见这个可怜的卡尔·费奥多罗维奇似的。他个子矮小，非常瘦，头发已然灰白，发红的弯钩鼻，上面沾着鼻烟，还有一双畸形的弯腿，尽管如此，他好像还要夸耀它们的构造，穿着紧身裤。当他最后停下，以一个跳跃摆出姿势，向我们伸出双手并朝着我们微笑，就像舞蹈演员最后完成步法时微笑那样，爸爸沉默片刻，好像对发表评判犹豫不定，故意让未被承认的舞蹈演员保持着那个姿势，如此一来他两边来回摇摆，单腿站立，竭尽全力保持平衡。最后，爸爸神色严肃地看了我一眼，好像在邀请我为评判做不偏不倚的见证人，与此同时舞蹈者也向我投来那怯懦、恳求的目光。

"不，卡尔·费奥多雷奇，你怎么都做不到！"爸爸终于说，假装他自己也不喜欢说出残酷的事实。这时从卡尔·费奥多雷奇的胸膛迸出真正的呻吟，但转瞬间他又高兴起来，以加快的手势再次请求予以注意，声称自己没有按章法跳，恳求我们再做一次判断。然后他又跑到另一个角落，有时跳得那样用力，以至于头都在天花板上撞疼了，但是他像斯巴达人一样，英勇地忍住疼痛，再次停下来站好姿势，再次微笑着向我们伸出双手，再次要求决定他的命运。但爸爸不为所动，依旧愁眉苦脸地回答：

"不，卡尔·费奥多雷奇，看得出来——你的命运就是：怎么都办不到！"

这下我再也忍不住了，笑得前仰后合，爸爸也跟着我一起笑。卡尔·费奥多雷奇终于注意到受人嘲笑，气得满脸通红，眼里含着泪水，带着一种深深的、尽管滑稽可笑、但让我随后为他这个不幸的人感到难过的情感，对父亲说：

"你这个耗无信义的朋有！"

然后他抓起帽子跑了出去，对天地万物发誓再也不来了。但这类争吵并不持久；几天后，他再次出现在我们这儿，再次开始读那出著名的剧作，再次洒下泪水，然后天真的卡尔·费奥多雷奇再次让我们评判他与公众、与命运之事，只是这次恳求我们认真评判，就像真正的朋友那样，而不是嘲笑他。

有一次，妈妈差遣我去杂货店买东西，我回来了，小心地拿着找给我的一个银币。走上楼梯时我遇见了父亲，他正要出门。我朝他笑了起来，因为我一看见他，就无法抑制自己的情感，他弯下腰吻了吻我，注意到我手里的那枚银币……我忘记说了，我对他的面部表情太了解了，以至于只看一眼就明白他的任何愿望。当他郁郁寡欢，我就心生愁闷。最经常，也是最让他愁苦的，就是当他完全没有钱，因此一滴酒也喝不成的时候，而那已是他的一种习惯。但就在那一刻，当我在楼梯上遇到他的时候，我觉得，在他身上发生了某种特别的事情。他那双变得浑浊的眼睛四处乱转，一开始他没注意到我，但当他看到我手里闪闪发光的硬币，脸突然红了，然后又变得苍白，本想伸手拿我的钱，可马上又把手缩了回去。很明显，他内心发生着一场斗争。最后，他似乎控制住了自己，吩咐我上楼去，自己下了几级楼梯，但突然停下来，匆匆向我喊了一声。

他显得十分窘迫。

"听着，涅朵奇卡，"他说，"把这些钱给我，我会还给你的。啊？你会给爸爸吧？你是个好心眼的孩子吧，涅朵奇卡？"

我好像预感到了这个。但一想到妈妈会多么生气，胆怯和最要紧的、为自己和父亲感到的本能的羞耻，阻止我把钱交出去。他旋即注意到了这一点，急忙说：

"哎，不要了，不要了……"

"不，不，爸爸，拿着。我就说丢了，说邻居的孩子抢走了。"

"好，好吧，好吧。我就知道，你是个聪明的小姑娘，"他说，颤抖着嘴唇笑了笑，当他感觉到有钱在手里，就掩饰不住自己的喜悦，"你是个善良的小姑娘，你是我的小天使！来，把小手让我吻一下！"

他抓住我的手想亲吻，但我很快抽了回来。一种怜悯攫住了我，耻辱开始让我越来越难受。我怀着某种惊惧跑上楼去，丢下父亲，也没跟他道别。当我走进房间，由于某种折磨人的、至今从未有过的感觉，我两颊发烧，心怦怦直跳。不过我勇敢地告诉妈妈，我把钱掉在雪地里，无法找到了。我预料会挨一顿揍，但这件事并未发生。妈妈一开始的确伤心至极，因为我们穷得吓人。她对我大吼大叫，但似乎立刻醒悟过来，不再骂我，只是说我是个又笨又粗心的女孩，说我显然不够爱她，竟然这样不小心地看护她的钱财。这句话比挨一顿揍更让我伤心。但妈妈已经了解我了，她已经注意到我的敏感，常常病态地易于激动，于是她认为痛苦地指责不够爱，就会给我更强的震撼，迫使我在以后的时日更加小心。

黄昏时分，当爸爸就要回来的时候，我，像往常那样，在穿堂里等他。这次我非常惊惶不安——我的感情被某种痛苦地折磨我良心的东西搅扰着。最后，父亲回来了，我非常高兴，似乎认为就此我会觉得轻松一些。他已稍有醉意，但是一见到我，他立刻摆出一副神秘、窘迫的样子，把我带到角落里，怯生生地瞥了一眼我们家的门，从衣袋里拿出他买的蜜糖饼，小声训诫我，好让我再也不敢拿钱并瞒着妈妈了，说这种事恶劣、可耻也很不好；现在这么做了，是因为爸爸真的需要钱，但他会还给我的，我以后可以说我又找到了钱，但从妈妈那儿拿钱是可耻的，要我以后绝不可以有这种想法，如果我以后听话，他会给我买更多的蜜糖饼；最后，他甚至补充说，我应该怜惜妈妈，妈妈又有病，又可怜，只有她一个人为我们所有人工作。我惊恐地听着，浑身颤抖，泪水溢出了我的眼眶。我是那样震惊，以至于无法说出一句话，无法离开原地。最后，他走进房间，命令我不要哭，也什么都不要对妈妈说。我发现，他自己也非常窘迫。整个晚上我都处于某种惊恐之中，第一次不敢看父亲，也不敢接近他。他也显然回避着我的目光。妈妈在房间里走来走去，循着她往常的习惯意识混沌不清地对自己说着什么。那天她的情况更糟，她身上某种疾病发作了。最后，由于内在的痛苦我开始发起热病。入夜时，我无法睡着，病态的梦境折磨着我。最后，我受不住了，开始痛哭起来。我的呜咽弄醒了妈妈；她朝我喊了一声，问我怎么了。我没回答，但哭得更惨了。这时她点燃一支蜡烛，走到我身边开始安慰我，以为我让梦里的什么东西吓着了。"哎，你这个傻姑娘！"她说，"到现在你梦见什么还哭。行了，别哭啦！"她吻了吻我，说让我过去跟她一起睡。但我不想，我不敢抱住她，不敢去她那边。我在难以想象的痛苦中煎熬。我真想把一切都告诉她。我正要开始说，但想到爸爸和他的禁令，就止住了。"你这个小可怜，涅朵奇卡！"妈妈说着让我躺在床上，用她的旧外衣把我裹起来，因为她注意到我浑身打着热病似的寒战，"你啊，肯定会像我，病歪歪的！"她那样悲伤地看着我，以至于我无法忍受她的目光，只能眯起眼睛，翻过身去。我不记得我是怎么睡着的，但很长一段时间，迷迷糊糊中我都听见可怜的妈妈在哄我入梦。我从未经受过如此重的苦痛。我的心紧缩得生疼。第二天早上，我感到轻松些了。我跟爸爸说起话来，不提昨天的事，因为我早就猜到这样他会很开心。他立刻高兴起来，而在这之前，他看我的时候一直皱着眉头。现在看到我快乐的模样，某种喜悦、某种近乎孩子气的满足攫住了他。很快妈妈出门了，他就再也克制不住了。他开始那样亲吻我，让我到了某种歇斯底里的兴奋状态，同时又哭又笑。最后，他说想给我看一件非常好的东西，我见了会非常高兴，就为了我是个聪明而又善良的小姑娘。然后，他解开背心，掏出一把钥匙，它挂在他的脖子上，拴着黑色的细绳。然后，他神秘地看着我，仿佛想从我的眼睛里看到全部快乐，按他的想法，那是我必定会感受到的。他打开箱子，小心翼翼地从里面取出一个形状怪异的黑盒子，我从未见过他有这东西。他拿起这盒子，带着某种胆怯，整个人都变了：笑容从他脸上消失，脸上突然显露出某种庄严的表情。最后，他用钥匙打开这个神秘的盒子，从里面取出一件东西，那是我之前从未见过的——看上去，那东西的形状十分奇怪。他小心而又虔敬地双手拿着它，说这是他的小提琴，他的乐器。接着他开始用一种平静而庄严的声音对我说很多话，但我听不懂，只记住了我已熟知的用语——他是一个艺术家，他很有才华——还说他以后有朝一日会拉小提琴，我们最终都会变得富有，会获得巨大的幸福。泪水在他的眼里打转，顺着脸颊流淌。我深受触动。最后，他吻了一下小提琴，把它拿给我亲吻。他看出我想仔细看看它，就把我带到妈妈的床边，把小提琴放在我手里；但我看见他害怕得全身发抖，怕我把它摔坏了。我双手拿起小提琴，碰了碰琴弦，琴弦发出微弱的声响。

"这是音乐！"我说，看了爸爸一眼。

"对，对，是音乐，"他重复道，欢快地搓着两手，"你真是个聪明的孩子，真是个乖孩子！"不过，尽管有他的赞美和喜悦，我看到，他在担心自己的小提琴，我也害怕不已，我连忙把它还了回去。小提琴以同样的预防措施被放进盒子，盒子被锁上，放进箱子；而父亲，再次抚摸我的头，许诺只要我像现在这样聪明、善良、听话，就给我看小提琴。就这样，小提琴驱散了我们共同的忧伤。只是到了晚上，父亲出门时，轻声对我说，要我记住他昨天对我说的话。

就这样，我在我们的角隅里长大，渐渐地，我的爱，不，应该说是激情，因为我不知道有什么强烈的词语能完全表达我对父亲不可抗拒的、对我来说令人痛苦的感情——甚至达到某种病态的易受刺激的状态。我只有一种乐趣——想着他，梦着他；只有一个心愿——去做一切能带给他哪怕最微小快乐的事。有多少次，我在楼梯上等他，常常冻得身上打战、发青，只为早一刻得知他回来了，快点看他一眼。当他对我稍加爱抚时，我就高兴得像疯了一样。与此同时我又常常感到切身的痛苦，因为我是那样固执地冷淡我可怜的妈妈。有时候，望着她，我会因为愁烦和怜悯而痛心疾首。在他们永恒的敌对中，我无法漠然视之，必须在他们之间做出选择，必须站在哪个人的一边，结果我选了这个半疯之人的一边，只因为他在我眼里是那样可怜、卑屈，一开始就那样无法理解地震慑了我的幻想。可是，谁来评判呢？——有可能，我依恋他正是因为他非常古怪，甚至外表也是如此，不像妈妈那样严肃而又阴森森的，他几乎是个疯子，他身上常常表现出某种扭捏作态，某种小孩子的习气，而最终是因为，与妈妈相比，我更不怕他，甚至更不尊重他。他在某种程度上跟我更平起平坐。我渐渐感觉到，甚至主动权在我这一边，我一点点地让他服从我，我对他已是必不可少。我为此骄傲，内心感到欢喜，而且，明白自己对他必不可少，甚至有时还和他卖弄风情。的确，我这份美妙的依恋之情有点像罗曼司……但这种罗曼司注定持续不了多久：我很快就失去了父亲和母亲。他们的生活由一场可怕的灾难终结，它沉重而痛苦地铭刻在了我的记忆中。事情就是这样发生的。

48

三

这段时间整个彼得堡都为一个消息而异常兴奋。四处流传着有关著名的 C-茨到来的传闻。所有的人,但凡在彼得堡与音乐沾得上边,全都忙了起来。歌手、演员、诗人、画家、音乐迷,甚至那些从来算不上音乐迷,并偶尔骄傲地宣称连一个音符都不懂的人,纷纷急不可耐地去弄门票。演出大厅连十分之一的热心观众都容纳不下,他们都是出得起二十五卢布入场费的。但 C-茨在欧洲的名声,他那桂冠加身的高龄,其才华永不凋谢的新鲜活力,还有他最近已很少执弓拉琴以悦公众的传言,以及确信这将是他最后一次巡行欧洲,随后便完全停止演奏的传闻,都产生了一定的效果。总而言之,此番印象既强烈又深刻。

我已经说过,每一位新小提琴手或者哪怕只有些许声望的名人的到来,都会在我继父身上造成最不愉快的影响。他总是抢先急匆匆去听一听这位来访的艺术家,以便尽快了解他艺术的整体水平。很多时候,他甚至因为人们对这位新人的赞美而害病,只有当他能找出新小提琴手演奏的缺陷,并将他刻薄的见解到处传播时,他才会平静下来。这可怜的疯狂之人认为世界上只有一个天才,只有一位艺术家,而这个艺术家,当然了,就是他自己。但音乐天才 C-茨到来的传闻对他产生了极其强烈的影响。必须指出,在最近十年里,彼得堡从未来过任何著名的天才,甚至与 C-茨势均力敌的人都没有。因此,我父亲对欧洲一流艺术家的演奏毫无概念。

有人告诉我,一听到 C-茨要来的传言,人们立刻又在剧院的后台看见我的父亲。据说,他显得非常激动,不安地询问 C-茨和即将举行的音乐会的事。人们已经很久没在后台见到他了,他的出现甚至引发了一阵骚动。有人想戏弄他,就用挑衅的口吻说:"现在您哪,叶戈尔·彼得罗维奇老兄,听的可不是芭蕾音乐,而是大概让您没法活在世上的那种!"据说,听到这句嘲弄,他脸色变得苍白,不过他还是答话了,歇斯底里地微笑着:"走着瞧吧,隔山的铃声更好听,毕竟 C-茨只是在巴黎,法国人为他大吹大擂,可谁都知道法国人是怎么回事!"如此等等。四周传出一阵哈哈大笑,可怜的人生气了，但他克制住自己补充道，反正他也不说什么，"不过走着瞧吧，我们看得到的，到后天也没多久，很快所有的秘密都会解开。"

Б.说，就在那天晚上，临近黄昏，他遇见 X 公爵，一位出名的音乐爱好者，是个深入了解、喜爱艺术的人。他们一起走着，谈论着新来的艺术家，突然在一条街的拐角，Б.看见了我父亲，他站在商店前，专注地端详着橱窗里的一张海报，上面用巨大的铅字公告 C-茨音乐会的事。

"您看见那个人了吗？"Б.指着我父亲说。

"是谁？"公爵问。

"您听说过他。这就是叶菲莫夫，我跟你说过多次的那位，您甚至还赞助过他。"

"啊，真让人好奇！"公爵说，"您说过很多他的事。他们说他很有趣。我倒希望听听他的演奏。"

"不值得，"Б.回答，"也会很难受。我不知道您什么感觉，但他总让我觉得揪心。他的生活——是一出可怕、丑陋的悲剧。我对他有很深的认识，不管他多么卑污，我对他的好感都没有绝灭。公爵，您说他让人好奇，这倒是真的，但他给人留下过于沉重的印象。首先，他是个疯子；其次，在这种疯狂之中有三起犯罪，因为，除了他自己，他还毁掉了另外两个人：他的妻子和女儿。我了解他，如果他确信了自己的罪行，他早已就地死掉。但可怕的是，已经有八年，他几乎确信了这一点，八年里他一直与自己的良心做斗争，不是几乎，而是要完全承认这一点。"

"您说过，他很穷吗？"公爵说。

"对，不过贫穷如今对他来说几乎是一种幸福，因为那是他的借口。他现在可以向所有人保证，妨碍他的只有贫穷，要是他富有，他就有时间，就没有操心事了，别人立刻就会看出他是一个艺术家。他结婚时，奇怪地希望他妻子的一千卢布能帮他站稳脚跟。他的行为像个幻想家，像个诗人，生活中他的行为一直如此。您知道，他整整八年不停在说什么吗？他声称，造成他不幸的祸首——是他妻子，她阻碍了他。他两手一叉不想工作。要是把这个妻子从他身边带走——他会是世界上最不幸的生物。他好几年没拿起过小提琴了——您知道为什么吗？因为每一次，当他拿起琴弓，他内心都不得不承认，他什么都不是，是零，而不是艺术家。可是现在，琴弓放在一边，他还有一丝模糊的希望——这些不是真的。他是个幻想家：他认为，突然之间，借助某种奇迹，他会一下子成为世界上最有名的人。他的座右铭是：aut Caesar, aut nihil，好像恺撒可以在一瞬间变成似的。他的渴望——是荣耀。如果这种感觉成了艺术家主要或唯一的动力，那么这个艺术家就不再是艺术家了，因为他已经失去了主要的艺术本能，那就是对艺术的热爱，仅仅因为它是艺术，而不是其他东西、不是荣耀而爱它。但是，С-茨恰恰相反，当他拿起琴弓，世界上除了他的音乐，就什么都没有了。琴弓之后他首先关心的是钱，第三位的，似乎才是荣耀。但他很少操心它……您知道，现在这个不幸的人在忙什么吗？"Б.补充道，指着叶菲莫夫，"他被世上最愚蠢、最微不足道、最可怜、最可笑的事占据着，那就是：究竟他比 С-茨高，还是 С-茨比他高，别无其他，因为他仍然确信，他是全世界头号的音乐家。您要是向他确证说，他不是艺术家，我跟您讲，他会像挨了雷劈那样当场死掉，因为放弃一成不变的想法太可怕了，他为之牺牲了整整一生，这想法是很深、很严肃的，因为他的天赋一开始是真实的。"

"令人好奇的是，等他听了 С-茨，会发生什么。"公爵说道。

"是的，"Б.沉思着说，"不，他会马上恢复过来；他的疯狂比真相更强大，他会编造出某种借口。"

"您这样认为？"公爵说道。

这时候他们走到与我父亲平齐处。他本想悄悄溜走，但 Б.叫住他，跟他说起话来。Б.问他会不会去听 С-茨。父亲漠然回答说，他不知道，他有比听音乐会和所有到访能手更重要的事情。不过，他再看看，如果他有一小时的空闲时间，为什么不呢？什么时候会去一趟。他迅速而不安地看了看 Б. 和公爵，不信任地笑了笑，然后抓着帽子，点点头便走了过去，推说没有时间。

但我已经在一天前就知道了父亲的烦心事。我不知道，是什么在折磨着他，但我看得出他极度不安，就连妈妈也注意到了。她在这段时间不知怎么病得很重，几乎挪不动步子。父亲一刻不停地进进出出。早上有三四个客人来见他，都是他过去的同事，这让我很惊讶，因为除了卡尔·费奥多雷奇，我几乎从未见过别人来我们这儿，自从父亲彻底离开剧院后，所有人都疏远了我们。最后，卡尔·费奥多雷奇气喘吁吁地跑来，还带来一张海报。我专注地仔细听、仔细瞧，而这一切都让我感到不安，就好像是我一个人的过错，造成了全部纷扰和我从爸爸脸上看到的焦虑不安。我真的很想弄明白他们在说些什么，这是我第一次听到 C-茨的名字。然后我明白了，至少需要十五个卢布才能见到这个 C-茨。我还记得，爸爸不知怎么没能克制住自己，摆了摆手说，他知道这些海外的奇情异事、这些从未听说过的天才，也知道C-茨，说这些全是犹太人，都在掏俄罗斯人的钱，因为俄罗斯人随随便便就相信任何胡说八道，更不用说法国人大吹大擂的事了。我已经明白，没有才华这句话意味着什么。客人们开始哈哈大笑，很快就走了，留下父亲心烦意乱。我明白，他因为什么事情对这个 C-茨很生气，为了讨好他，为他消愁解闷，我走到桌边，拿起海报，开始大声拼读并念出 C-茨的名字。然后，我笑了笑，看了看若有所思地坐在椅子上的爸爸，说："这个人，大概，像卡尔·费奥多雷奇那样：他，大概，也是怎么都不遂人意。"爸爸打了个哆嗦，仿佛吃了一惊，从我手里夺过海报，叫喊着踩了踩脚，抓起帽子就要走出房间，但又立刻折回来，把我叫到穿堂，吻了吻我，带着某种不安、某种隐隐的恐惧开始对我说，我很聪明，是个善良的孩子，还说我显然不想伤他的心，他在等着我帮一个大忙，但到底是什么，他没有说。此外，听他说话让我难受；我看到他的话和爱抚不是真心的，这一切让我有点儿震惊。我开始痛苦地为他担心。

第二天，吃午饭时——这已是音乐会的前夕——爸爸完全垮了。他可怕地变了模样，不断地看着我和妈妈。最后，他甚至跟妈妈说起什么事来，我很诧异，因为他几乎从来不跟她说话。饭后他开始特别关照我：不停地以各种借口叫我去穿堂，环顾四周，好像害怕别人撞见他，他一直抚摸我的头，一直亲吻我，一直对我说，我是善良的孩子，我是听话的孩子，说我肯定爱自己的爸爸，肯定会做他要求我做的事。这一切使我感到难以忍受的悲伤。最后，当他第十次叫我上楼梯时，事情就清楚了。他一副愁苦疲惫的样子，不安地四处张望，问我是否知道，妈妈昨天早上带来的那二十五个卢布放在哪里。听到这种问题，我吓呆了。但就在这一刻有人在楼梯上弄出声响，爸爸吓了一跳，撇下我跑出门去。他回来时已是傍晚，窘迫、忧伤、焦虑、默然地坐在椅子上，开始带着些许胆怯不时望一望我。某种恐惧向我袭来，我故意避开他的目光。最后，一整天都躺在床上的妈妈叫我，给了我几枚铜钱，让我去杂货店给她买茶叶和糖。我们家很少喝茶：妈妈只有在她不舒服和发热病的时候，纵容一下自己这任性的要求。我拿了钱，走到穿堂，立刻跑了起来，好像我害怕被人追上似的。但我预感的事情还是发生了，爸爸在街上追上我，把我带回楼梯上。

　　"涅朵奇卡，"他用颤抖的声音开口说，"我亲爱的！听着，把这些钱给我，我明天就……"

　　"爸爸！爸爸！"我喊道，跪下来求他，"爸爸！我不能给！不行！妈妈得喝茶……不能拿妈妈的钱，无论如何也不行！我下次再拿给你……"

　　"就是说你不愿意？你不愿意？"他小声对我说，处于某种癫狂之中，"所以说，你不愿意爱我？嗯，好吧！我现在就丢开你。跟妈妈在一起吧，我离开你们，也不会带你走。你听见了吗，狠毒的小姑娘？你听见了吗？"

　　"爸爸！"我喊道，完全吓坏了，"钱你拿着吧，给！我现在怎么办？"我说，两只手扭动着，抓住他常礼服的衣襟，"妈妈会哭的，妈妈又要骂我了！"

他，似乎没有料到这番抗拒，但他拿了钱。最后，他无法忍受我的怨诉和抽泣，把我留在楼梯上跑了下去。我向上走去，但到了我们住所的门口就没了气力；我不敢进去，也不能进去；就我内心所感受到的，一切都被扰动和惊慌了。我用手捂住脸，扑向窗前，就像我第一次听到父亲希望妈妈死掉的时候那样。我陷入某种恍惚、呆滞状态，打着哆嗦，倾听楼梯上最细微的簌簌声。最后，我听见有人匆忙上楼来了，是他，我分辨出了他的步伐。

"你在这儿呢？"他低声说。

我朝他奔去。

"给！"他喊道，把钱塞到我手里，"给你，拿回去吧！我现在不是你的父亲，你听见了吗？我现在不想做你的爸爸了！你更爱的是妈妈，不是我！那就去找妈妈吧。我理都不想理你！"他说着这些，把我推开，又顺着楼梯跑去。我哭着，冲上去追赶他。

"爸爸，好爸爸！我会听话的！"我喊道，"我更爱的是你，不是妈妈！把钱拿回去，拿去吧！"

但他已经听不见了，他消失了。整个晚上，我就像个死人，浑身打战，发起了寒热病。我记得，母亲跟我说了些什么，把我叫到身边。我就像不省人事似的，什么都没听到、没看见。最后一切的结局是一场歇斯底里大发作：我开始又哭又喊，妈妈吓坏了，不知该怎么做。她把我带到她的床上，我不记得我是如何抱着她的脖子睡着的，每分钟都在哆嗦着，害怕会发生什么。一整夜就这样过去了。早上我醒得很晚，当时妈妈已经不在家了。这时候她总是外出做自己的事。爸爸那边来了个外人，他们两个在大声交谈着什么。我好不容易等客人离开了，当我们单独在一起时，我扑到父亲面前，哭着开始求他为昨天的事原谅我。

"你要做个聪明的孩子吗，像以前那样？"他严厉地问我。

"我要，爸爸，我要做！"我回答，"我告诉你，妈妈的钱放在哪儿，就放在她这个抽屉的匣子里，昨天在的。"

"在吗？在哪儿？"他喊道，转过身，从椅子上站了起来，"放在哪儿？"

"钱锁着呢，爸爸！"我说，"等一等，等晚上妈妈让我去换钱，因为我看到零钱都花光了。"

"我需要十五卢布，涅朵奇卡！你听见没有？只要十五卢布！今天你给我拿来，我明天还给你。我现在就去给你买水果糖，买坚果……也给你买布娃娃……明天也会……每天都给你带礼物回来，只要你做个聪明的小姑娘！"

"不要，爸爸，不要！我不想要礼物，我也不吃，我还会把它们还给你！"我喊道，哭得肝肠寸断，因为一瞬间我整个心脏难受至极。在那一刻，我感觉到了他并不怜惜我，他不爱我，因为他看不见我有多爱他，觉得我是因为礼物才为他效劳。就在那一刻，我，一个小孩子，把他看得明白透彻，并且已经感觉到我永远都要被这种意识所刺痛，我已经不能再爱他，我失去了我原先的爸爸。他对我的承诺有点儿欣喜若狂，他看到我准备为他做一切决定，我会为他做一切事情，上帝见证，当时这个"一切"对我来说何其之多。我明白，这些钱对可怜的妈妈意味着什么；我知道，她可能会因为失去它们伤心得生病，我心里痛苦地发出悔过的呼号。但他什么都没看见，他以为我是个三岁的孩子，而我却什么都明白。他的欣喜没有止境，他吻了我，劝我不要哭，向我许诺，今天我们就要离开妈妈去某个地方——想必是在奉承我一直抱有的幻想——最后，从口袋里拿出海报，开始向我肯定地说，他今天去见的这个人，是他的敌人，他的死敌，但他的敌人不会成功。他跟我谈起他的敌人，他自己就完全像个小孩子。他注意到我没有像以前他跟我说话时那样微笑，而是默默地听他说，便拿起帽子走出了房间，因为他急着去某个地方；但是，出门时，他又吻了我一下，笑着向我点点头，似乎对我没有把握，好像竭力不让我改变主意。

我已经说过，他就像个精神错乱的人；但前一天这就很明显了。他需要钱买音乐会的门票，那对他来说可能决定一切。他仿佛提前预感到，这场音乐会将决定他的整个命运，但他是那样失魂落魄，以至于前一天想从我手里夺走那几个铜钱，好像他能用它们弄到一张门票似的。他的怪异在吃饭时显现得更厉害了。他根本坐不住，也不碰任何吃食，不停地从座位上站起来，又再次坐下，似乎改变了主意；时而突然抓起帽子，好像要去什么地方；时而突然奇怪地变得心不在焉，喃喃自语，然后突然看我一眼，向我眨眨眼睛，对我做出某种手势，好像急不可耐地想尽快拿到钱，又好像因为我迄今还没从妈妈那儿拿到钱而生气。甚至妈妈也注意到这些怪异现象，惊讶地望着他。我就像一个被判处死刑的人。吃完饭，我蜷缩在角落里，像发热病一样颤抖着，数着每一分钟，直到到了我母亲往常差遣我买东西的时候。我一生中从未经历过如此痛苦的时刻，它们将永远留在我的记忆中。在这些瞬间还有什么我没有经受过！有那么几分钟，人的意识所感受到的东西远比几年还多。我感觉到我这是恶劣的行为：是他激发了我的善良本能，当时他第一次怯懦地把我推向了恶，自己也为之感到害怕，向我解释，说我的行为非常恶劣。难道他不明白，要欺骗一个渴求体会种种印象的意识、已经感受并理解了许多恶与善的天性是多么困难？我毕竟明白，显然存在着可怕的极端情况，使得他决意再一次把我推向恶行，就此牺牲我可怜的、无力自卫的童年，冒险再次动摇我尚不稳定的良心。而现在，我蜷缩在角落里，暗自想道：为什么他要为我凭个人的意志已经决定做的事情而许诺奖励？新的感觉、新的渴望以及迄今未曾知悉的新的问题成群地在我心中涌起，我被这些问题折磨着。然后，我突然开始想妈妈；我想象着她失去最后一点儿劳动所得的悲伤。最终，妈妈放下她勉强在做的活计，叫我过去。我颤抖着走向她。她从抽屉柜里拿出钱来，递给我，说："去吧，涅朵奇卡。只是看在上帝的分上，别像前些天那样让人家少给了，也千万别弄丢了。"我带着恳求的神色看了父亲一眼，但他点了一下头，鼓励地朝我微笑着，焦急地搓着手。时钟敲了六下，可音乐会定在七点。他也在这番等待中经受了许多。

我在楼梯上停住，等着他。他是那样兴奋和急切，毫无防范地立刻跟着我跑了出来。我把钱给了他。楼梯上很暗，我看不清他的脸，但我能感觉到他拿钱时浑身颤抖。我站在那儿，就像愣住似的待在原地。最后，当他差遣我上楼给他拿帽子时，我才缓过神来。他自己都不愿意进去。

　　"爸爸！难道……你不跟我一起去？"我用断断续续的声音问道，想着我最后的希望——希望他能庇护我。

　　"不……你就一个人去吧……啊？等一下，等一下！"他喊道，醒悟过来，"等一下，我这就给你带件礼物来，你只要先去把我的帽子拿到这儿来。"

　　我的心像是被一只冰手突然攥住。我大叫一声，推开他，冲上楼去。当我走进房间时，脸上毫无血色，如果我决定说钱被别人夺走了，那么妈妈会相信我的。但我在这一刻什么也说不出来。在一阵惶然的绝望中我横着扑倒在妈妈的床上，两手捂住脸。一分钟后门怯生生地"吱呀"一声开了，爸爸走了进来，他来拿他的帽子。

　　"钱在哪儿？"妈妈突然喊道，一下子就猜到发生了某种不寻常的事情，"钱在哪儿？说吧！说！"接着她把我从床上揪起来，搁在房间正中。

　　我默不作声，眼睛垂向地面。我几乎弄不清自己这是怎么了，别人又要拿我怎么样。

　　"钱在哪儿？"她又喊了一声，撇下我，突然转向爸爸，他正拿着他的帽子，"钱在哪儿？"她重复道："啊！她给你了？不敬上帝的人！我的祸害！我的恶棍！你也祸害了她！一个孩子！她，她？！不！你不能就这么走掉！"

　　转眼间她冲到门边，从里面锁上门，收起钥匙。

"说！承认吧！"她开始对我说，声音由于激动勉强能听见，"全都承认吧，快呀，说！不然……我不知道我要拿你怎么办！"

她抓起我的两只手拧着，审问我。她气疯了。在这一瞬间我发誓保持沉默，一句话也不提爸爸，但又胆怯地最后一次朝他抬起眼睛……他的一个眼神，他的一句话——我期望和暗自祈祷的随便什么话，我都会感到幸福，无论怎样的痛苦，怎样的拷问……但是，我的上帝！他却以无情、恐吓的手势命令我沉默，好像我在这一刻还会害怕什么人的其他威胁似的。我喉咙哽咽，气喘不已，两腿发软，倒在地板上失去了知觉……我昨天那种神经性发作又反复了。

我醒了过来，当时突然有人敲我们住所的房门。妈妈打开门，我看见一个穿仆人制服的人，他走进房间，惊讶地环视着我们所有人，说要找乐师叶菲莫夫。继父说自己就是。这时仆人递上一张便函，通报说这是 Б.捎来的，他此刻正在公爵那里。信封里有一张 C-茨音乐会的请束。

一位穿着豪华制服的仆役出现了，叫出了公爵的名字，这位主人派信差来见穷乐师叶菲莫夫，这一切转瞬间给妈妈留下强烈的印象。我在最开始讲述她的性格时说，这个可怜的女人仍然爱着父亲。而现在，尽管经历了整整八年连续不断的忧愁和痛苦，她的心仍然没有改变：她仍然能够爱他！上帝知道，也许，现在她突然间看见了他命运的改变。哪怕是某种希望的影子也会对她产生影响。谁知道呢，也许，她也多少染上了自己那个狂妄的丈夫毫不动摇的自信！的确，这种自信不可能不对她、这个孱弱的女人，产生些许影响，而针对公爵的关注，她转眼间能够为他制定出上千种计划。一瞬间她准备再次倾情于他，她可以就自己的整个一生原谅他，甚至权衡了他最近的罪行——牺牲她唯一的孩子这件事，在一阵重新燃起的热情中，在一阵新的希望中，将这一罪行降为一般的过失，降为缺乏毅力，是贫穷肮脏的生活、绝望的处境所迫。她心里一直怀有迷恋之情，而在那一瞬间，在她内心已经为她不可救药的丈夫再次备好了无限的宽恕和怜悯。

父亲忙乱起来，他也为公爵和 Б. 的关照感到震惊，他直接转向妈妈，低声说了些什么，她便走出了房间。两分钟后她回来了，带来了找开的钱，父亲立即给了使者一个卢布银币，后者礼貌地向他鞠了一躬走了。与此同时，妈妈出去片刻后拿来了熨斗，取出丈夫最好的胸衬开始熨起来。她亲手在他脖子上系了一条白麻纱领带，这条领带不知从何时起一直保存在他的衣橱里备用，一起存着的还有一件黑色的、已然很旧的燕尾服，那是在他进入剧院任职时缝制的。装扮完毕后，父亲拿起帽子，但出门时又要了一杯水；他脸色苍白，疲惫不堪地在椅子上坐了一会儿。水我已经递了过去。也许，不甚和悦的情绪重新潜入妈妈的心中，她最初的迷恋之情冷却下来。

父亲出去了，只剩下我们两个人。我蜷缩在角落里，长时间默默地看着妈妈。我从未见过她如此激动：她的嘴唇在颤抖，她苍白的脸颊突然烧得发红，偶尔她的整个肢体都会颤抖。最后，她的悲伤开始在怨诉，在低沉的呜咽和哀叹中倾泻而出。

"是我，这都是我的错，不幸的人！"她自言自语，"她会怎么样？我死了，她会怎么样呢？"她继续说着，在房间中央停下，这个念头就像闪电一样击中了她。"涅朵奇卡，我的孩子！我的小可怜，不幸的孩子！"她说，把我拉进怀里，痉挛般地抱着我，"能把你托付给谁呢，连我活着都不能抚养你，照料看护你？哎，你不明白我的心思！你明白吗？你能记住我现在说的话吗，涅朵奇卡？你以后会记住吗？"

"我会，我会的，妈妈！"我说，合拢两手恳求着她。

她长时间地、紧紧地把我抱在怀里，仿佛一想到要和我分开，她就会全身发抖。我的心碎裂了。

"妈妈！妈妈！"我抽泣着说，"为什么你……为什么你不爱爸爸？"一阵呜咽没让我把话说完。

一声呻吟从她胸膛里挣脱而出。然后，她进入一种新的、可怕的愁苦状态，开始在房间里来回踱步。

"我的小可怜！可我都没注意她怎么长大的；她知道，什么都知道。我的上帝！这都是什么印象，什么榜样啊！"绝望之中她又拧着双手。

然后她走到我跟前，带着疯狂的爱意亲吻我，亲吻我的手，在上面洒下泪水，乞求原谅……我从未见过如此的痛苦……最后她似乎筋疲力尽，陷入昏沉的状态。就这样过了整整一个小时，然后她站了起来，又疲又累，说让我去睡觉。我去了自己的角落，裹在被子里，可是无法睡着。她让我难受，爸爸也让我难受。我焦急地等待他的归来。一想到他，某种恐惧就会攫住我。半小时后，妈妈拿着蜡烛走到我面前，看看我是否睡着了，为了让她放心，我眯起眼睛假装在睡觉。对我查看一番后，她轻轻走到碗橱前，打开它，给自己倒了一杯酒。她喝下去就躺下睡觉了，把燃着的蜡烛放在桌上，打开门闩，就像爸爸晚归时常常做的那样。

我神志不清地躺着，但睡梦没有合上我的眼睛。我刚一合上它们，就会从某种可怕的梦境中醒来，战栗不已。我的忧伤愈发增长。我想叫喊，但喊声闷在了我的胸口。最后，已是深夜，我听见我们的门开了。我不记得过了多久，但当我突然完全睁开眼睛时，我看见了爸爸。我觉得，他脸色白得可怕。他坐在紧靠房门的椅子上，似乎在默想着什么。房间里一片死寂。流淌着油脂的蜡烛郁郁寡欢地照着我们的处所。

我久久地望着，但爸爸还是没挪地方——他坐着不动，一直是同样的姿势，低垂着头，双手颤颤巍巍撑在膝盖上。我有好几次想叫他，但没能做到。我的麻木状态一直持续着。最后，他突然清醒了，抬起头，从椅子上站起来。他在房间中央站了几分钟，好像在做什么决定；然后他突然走到妈妈床前，听了听，确信她睡着了，便走到放着他的小提琴的箱子那里。他打开箱子，拿出黑盒子放在桌上；然后又四下望了望。他的眼神慌乱而仓促——他的这种眼神是我从来未曾看到过的。

他刚拿起小提琴，立刻又放下了，转过身锁上房门。然后，注意到开着的柜子，便轻轻走了过去，看见杯子和酒，便倒上喝了。接着他第三次拿起了小提琴，但第三次把它放下，走到妈妈的床边。我吓得发呆，等待着会发生什么。

他久久地倾听着什么，然后突然把被子从妈妈脸上掀开，开始用手抚摸她。我打了个寒战。他再次弯下腰，几乎把头贴在她身上；但当他最后一次抬起身来时，他白得可怕的脸上仿佛闪过一丝微笑。他小心地给熟睡的妈妈盖上被子，蒙住她的头和脚……我开始因未知的恐惧而颤抖：我为妈妈感到害怕，为她睡得那么深而害怕，我不安地盯着那静止的线条，这线条有棱有角地在被子上勾勒出她的肢体……犹如一道闪电，我脑海中闪过一个可怕的念头。

完成了所有准备后，他再次走到橱柜前，喝掉剩下的酒。他全身颤抖着，走近桌子。他简直让人认不出了——他的脸是那样苍白。这时他又拿起小提琴。我见过这把小提琴，我知道它是什么，但现在我期待着某种可怕、恐怖、奇妙的东西……于是它最初的声响让我浑身一颤。父亲开始演奏，但声音时断时续；他总是停下来，好像记起了什么；最后，他带着困惑、痛苦的神情放下了琴弓，有些怪异地望了望床上——那里有什么东西一直令他不安。他再次走到床边……我没有错过他的任何一个动作，惊悸于一种恐惧的感觉，注视着他。

突然间，他匆忙地开始在手边找什么东西——那个可怕的念头，就像一道雷电，再次灼伤了我。我突然想到：为什么妈妈睡得那么踏实？为什么他用手抚摸她的脸时她都没醒？最后我看到，他把能找到的我们的衣服都拖了出来，他拿了妈妈的大衣，他的旧常礼服、长袍，甚至我脱下的衣裙，把妈妈完全盖住、藏在抛出的这堆东西下面。她静静躺在那里，任何肢体都一动不动。

她睡得真沉稳！

完成这份工作后，好像他呼吸都更顺畅了。这下已经毫无妨碍了，但仍然有什么东西让他不安。他移开蜡烛，面对着门，这样他甚至就可以看都不看一眼床铺了。最后，他拿起小提琴，以某种绝望的手势拉起琴弓……音乐开始了。

但这不是音乐……我清晰地记得一切，直到最后一瞬；我记得当时惊慑了我的注意力的一切。不，这不是后来我得以听到的那种音乐！这不是小提琴的声音，而仿佛是某个人可怕的嗓音第一次在我们黑暗的住所里隆隆作响。要么我的印象是错误的、病态的，要么我的感官被我所目睹的一切震撼了，我本来准备好接纳可怕的、无止境的痛苦的印象——但我坚信，我听到了呻吟声，是人的叫喊声、哭泣声，全部的绝望在这些声音中倾泻而出。最后，当可怕的终曲和弦奏响，其间有着哭泣中的全部恐怖、痛苦中的全部折磨和无望的苦闷中的全部忧伤，这一切就像一下子全部汇集在一起……我无法承受，我浑身发抖，泪水从我眼里迸流而出，继而，随着可怕而绝望的喊声，我扑向爸爸，我用双臂抱住他。他叫了一声，放下小提琴。

有一分钟，他惘然若失地站在那里。最后，他的眼睛闪动起来，四下移来移去；他就像在寻找什么，突然抓起小提琴，朝我头上挥来……再过一分钟，他就可能当场杀死我。

"爸爸！"我朝他喊道，"爸爸！"

听到我的声音，他像一片树叶那样颤抖着，后退了两步。

"啊！原来还有你！原来还没有全都结束！原来你还陪着我！"他喊了起来，抓着我的肩膀把我举到空中。

"爸爸！"我又喊道，"别吓唬我，看在上帝的分上，我害怕！哎呀！"

我的哭声让他一惊。他把我轻轻放在地板上，默默看了我一分钟，好像在辨认和回想着什么。最后，突然间，好像什么东西颠覆了他，就像被某种可怕的想法震惊了，泪水从他浑浊无神的眼睛里迸流而出；他俯身贴近我，开始专注地盯着我的脸。

"爸爸！"我对他说，被恐惧折磨着，"别这样看我，爸爸！我们离开这儿吧！我们快点儿离开吧！快走，我们逃跑吧！"

"对，我们逃走，我们逃走吧！是时候了！我们走，涅朵奇卡！快，快！"于是他忙乱起来，好像现在才弄清楚他该做什么。他匆忙四下看了看，见地上有一条妈妈的手帕，便捡起来放进口袋，然后又看见了便帽——也把它捡起来藏在身上，好像整装准备出远门那样，把他需要的东西全都抓过来。

我转眼间就穿好了衣服，也匆忙开始抓起我认为路上需要的东西。

"好了吗，好了吗？"父亲问我，"都准备好了吗？快点儿！快点儿！"

我急忙系了个包袱，把围巾往头上一甩，我们俩就准备出门了，这时我突然想到，应该把墙上挂的画也拿走。爸爸立即对此表示赞同。现在他很安静，小声说话，只是催促我快点儿走。画挂得很高，我们两个搬来一把椅子，然后在上面放了一只板凳爬上去，花了好些工夫才终于取了下来。这时我们已为旅行做好了一切准备。他拉起我的手，我们就要走了，但突然间爸爸让我站住。他久久揉着自己的额头，好像在回想有什么事还没做。最后，他好像明白了他要干什么，就在妈妈的枕头底下拿出钥匙，然后匆忙地开始在抽屉柜里找什么东西。最后，他回到我这边，拿来他在抽屉里找到的一些钱。

"给，拿着这个，小心点儿，"他低声对我说，"别弄丢了，记住，记住！"

他先是把钱放在我手中，然后又拿出来塞进我的怀里。我记得，当这块银子接触到我的身体时，我打了个寒战，好像我这时候才明白钱是什么。现在我们又准备好了，但他突然又让我站住。

"涅朵奇卡！"他对我说，好像在努力思考着，"我的孩子，我忘了……是什么事？……该做什么来着？……我不记得了……对了，对了，明白了，我想起来了！……到这儿来，涅朵奇卡！"

他把我带到圣像所在的角落，让我跪下。

"祈祷吧，我的孩子，祷告一会儿！你会好受些！……对，是的，会好受些的。"他低声对我说，指着圣像，有些奇怪地看着我。"祷告吧，祷告吧！"他用某种请求、哀恳的声音说。

我跪在地上，叠合双手，充满了惊恐和绝望，这种绝望已经完全控制了我，我倒在地板上，像断了气一样躺了好几分钟。我穷尽所有的脑力、所有的情感来祷告，但恐惧战胜了我。我稍微抬起身子，深受忧烦之苦。我已经不想跟他走了，我害怕他，我想留下。最后，困扰和折磨我的东西从我的胸膛迸发出来。

"爸爸，"我说，满脸是泪，"可妈妈呢？妈妈怎么了？她在哪儿？我妈妈在哪儿？……"

我无法继续说下去，泪流不已。

他也含泪看着我。最后，他拉着我的手，带我到床边，拨开散落的一堆衣服，掀开被子。我的上帝！她躺在那儿，死了，已经冰冷发青。我就像没了知觉一般向她扑过去，抱住她的尸身。父亲让我跪下。

"给她鞠躬，孩子！"他说，"跟她告别吧……"

我鞠了一躬。父亲跟我一起鞠躬……他的脸色非常苍白；他的嘴唇在动，在低声说着什么。

"这不怪我，涅朵奇卡，不怪我，"他对我说，用颤抖的手指着尸体，"听着，不怪我，这不是我的错。要记住，涅朵奇卡！"

"爸爸，我们走吧。"我害怕地低声说，"该走了！"

"对，现在是时候了，早就该走了！"他紧紧抓住我的手，匆匆走出房间，"好了，现在就上路！感谢上帝，感谢上帝，现在一切都结束了！"

我们走下楼梯，睡眼惺忪的看院人为我们打开大门，狐疑地看着我们，而爸爸，好像害怕他问些什么，就先跑出了大门，我勉强才追上他。我们走过门前那条街，来到运河的堤岸上。夜里，铺路石上落了一场雪，现在飘着细细的雪花。天气很冷，我打着彻骨的寒战，跟着父亲跑，疯狂地抓住他燕尾服的衣襟。小提琴夹在他腋下，他时不时停下来，扶住腋下的琴盒。

我们走了一刻钟，最后，他从人行道的斜坡转向一条地沟，在尽头的一座石磴上坐下来。离我们两步远处是一个冰洞，四周一个人都没有。上帝！现在我还记得那突然攫住我的可怕的感觉！终于，我梦想了一整年的一切都实现了。我们离开了我们可怜的住所……但那是我所期待、我所梦想的吗？那是当我许愿我并非孩子式地爱着的那个人幸福时，在我孩子式的想象中产生的吗？在这一瞬间最让我难受的是妈妈。"我们为什么要留下她，"我想，"留下她一个人？遗弃她的尸身，就像那是没用的东西？"我记得，这是让我最受煎熬、最受折磨的事。

"爸爸！"我开口说，无力忍受自己令人痛苦的忧心事，"爸爸！"

"怎么了？"他严厉地说道。

"爸爸，为什么我们把妈妈留在那儿？我们为什么要丢下她？"我哭着问，"爸爸！我们回家吧！我们叫个人去看看她吧。"

"对，对，"他突然喊道，浑身一抖，从石磴上欠起身子，好像脑子里有了某种新的念头，排除了他的所有疑虑，"对，涅朵奇卡，不该那么做，必须去找妈妈；她在那儿很冷！去找她吧，涅朵奇卡，去吧；那儿也不黑，有蜡烛；别怕，叫个人去看看她，然后再来找我；自己去吧，我在这儿等着你……我哪儿也不去。"

我立刻就走，但我刚走上便道，突然间就像有什么东西刺中了我的心……我回头一看，见他已经从另一边跑开，离我而去，留下我一个人，在这种时候抛下了我！我用尽全力叫喊起来，万分惊恐地冲出去追赶他。我气喘吁吁，他越跑越快……我已经看不见他了。路上我发现了他的帽子，是他在奔跑中落下的；我捡起它又开始跑。我简直要断了气，两腿发软。我觉得，好像某种混乱不堪的事情发生在我身上：我一直觉得这是一场梦，有时在我心里萌生那样一种感觉，就像在做梦，我在逃避着什么人，但我两腿发软，被人追赶上了，我摔倒在地，没了知觉。痛苦的感觉撕扯着我：我可怜他，当我想象他奔跑的样子，没有大衣，没有帽子，离开我，离开他心爱的孩子，我的心便一阵酸楚，隐隐作痛……我想追上他，只为了再一次深深地亲吻，告诉他，让他不要怕我，让他相信、放心，如果他不愿意，我不会追着他跑，而是独自回到妈妈身边。最后，我望见他拐进了一条街道。我跑到那里，也跟着他拐过去，我仍然能分辨出他在前面……这时我已力气全无，我开始哭泣，开始叫喊。我记得，奔跑中我碰到两个过路人，他们停在便道中间，诧异地看着我们俩。

"爸爸！爸爸！"我最后一次喊道，但我突然在便道上滑了一跤，摔倒在一幢房子的大门前。我感到我的整个脸都在淌血，瞬间过后我就失去了知觉……

醒来时我躺在一张温暖、柔软的床上，看到自己周围一张张和蔼、亲切的面孔，高兴地迎接我的苏醒。我瞧见一位鼻子上夹着眼镜的老太太；一位高大的绅士，他带着深切的同情看着我；接着是一位漂亮的年轻女士；最后，是一位头发灰白的老人，一边握着我的手臂，一边看着表。这次醒来，我新的生命就开始了。我在奔跑的时候遇到的一个人，就是 X 公爵，我倒在了他家的门口。调查了很久之后，他才得知我是谁，这位给我父亲送去 C-茨音乐会门票的公爵，为这件怪诞之事所震惊，决定把我带到他家里，与自己的孩子们一起养育。他们开始探查爸爸发生了什么事，得知他已然在城外癫狂发作时被人拦住了。他被送进医院，过了两天就死了。

他死了，因为他这样的死亡是一种必然，是他整个一生的自然结果。他只能这样死去，因为生活中支撑他的一切突然崩溃，像幽灵，像无实体的、空洞的梦想一样消散了。他死了，在他最后的希望消失之际，在一瞬间，当他欺骗自己和维持一生的一切都在他的面前化解，进入清朗的意识之时。真相以其难以忍受的光辉炫瞎了他的双眼，原本的谎言，对他自己也成了谎言。在最后的时刻，他听到了一位奇妙的天才向他讲述他自己的命运，并对他做了永恒的谴责。随着最后一声琴音飞出天才般的 C–茨的小提琴琴弦，整个艺术的奥秘在他面前揭示开来，天才，永远年轻、强大而真实的天才，以自己的真理性压垮了他。似乎那一切，那整个一生中只在神秘的、难以触及的苦痛之中压迫他的一切，直到如今他只梦见过、只在梦境中折磨他，无形、难以捉摸却让他惊恐地逃离，并以一生的谎言遮住自己的一切，他有所预感，但迄今害怕的一切——这一切突然之间，一下子在他面前明亮起来，展现给他的双眼，而直到之前，他的眼睛还顽固地不愿将光明认作光明，将黑暗认作黑暗。但真相让他的眼睛无法忍受，它们第一次看清了过去、现在和等待着他的一切。真相炫瞎并灼烧了他的理智，它像闪电一样突然而不可避免地击中了他。他一生都忐忑而战栗，唯恐发生的事情突然之间就发生了。仿佛是一把板斧悬在他头上，整个一生中他每时每刻都在难以言喻的痛苦中等待它劈向他，最后，板斧劈了下来！这一打击是致命的。他想逃避对自己的审判，但无处可逃：最后的希望已经消失，最后的借口也没有了。那个拖累了他那么多年、不让他生活的人，一旦死亡，按照他那令人目眩的信念，他会突然间一下子复活。她已经死了，他终于是一个人了，没有什么再约束他：他自由了！最后一次，在猝发的绝望中，他想自己来审判自己，铁面无情而严厉地定罪，像不偏不倚、大公无私的法官。但他变松的琴弓只能微弱地重复天才的最后乐句……在这一瞬间，监守了他十年的精神错乱不可避免地击倒了他。

四

我恢复得很慢，等到完全能下床时，我的头脑仍处于一种呆滞状态，很长时间我都无法明白我到底发生了什么事。有时候，我觉得自己在做梦，我记得，我很想让发生的一切真的变成梦！夜晚入睡时，我希望突然能在我们可怜的房间里再次醒来，看见父亲和母亲……但最后我的处境在我面前清晰起来，我渐渐明白只剩下我一个人了，住在别人家里。那时我第一次感到我是个孤儿了。

我开始贪婪地观察那所有突然围住我的新东西。起初，一切对我来说都是奇怪而陌生的，一切都让我困惑：新的面孔、新的习惯，还有古老的公爵宅邸的一个个房间——就像我现在看到的那样，宽敞、高大、富丽堂皇，但又是那样阴森压抑，以至于我记得，我很是害怕穿过那些长长的大厅，在那里面，我觉得会彻底迷失。我的病还没好，我的种种印象是阴郁、沉重的，与这住宅沉闷而庄严的气氛完全合拍。此外，某种我自己都不清楚的愁烦在我小小的心里滋长。我常常站在一幅画、一面镜子、一个工艺复杂的壁炉或一尊雕像前，那雕像仿佛故意藏在很深的壁龛里，从那儿能更好地观察我并以某种方式吓唬我。我停下来，然后突然忘了我为什么停下来，我想干什么，我在想什么，而只有当我清醒时，恐惧和惊惶才时常向我袭来，我的心狂跳不已。

在我仍卧病时，偶尔来看我的人里，除了老医生，有一个男人的脸孔给我留下的印象最深，他已经相当老了，那样严肃，但又那样和善，怀着那样深切的同情看着我！我爱上了他的脸，远甚于其他任何人。我很想跟他说话，但我害怕：他看上去总是很落寞，说话很少，断断续续，他的嘴唇上也从未现出过微笑。这就是 X 公爵本人，是他发现我并把我收留在自己家里。当我开始康复，他的来访就变得越来越少。最后一次，他给我带来一些糖果和一本有插图的儿童书，还吻了吻我，画了十字并要我快乐一些。他安慰我，还补充说我很快就会有个朋友，是一个像我一样的小女孩，他的女儿卡佳，她现在在莫斯科。然后，他对一位上了年纪的法国女人、他孩子的保姆以及照顾我的女仆说了些什么，向她们指了指我，然后就走了，从那时起整整三个星期我都没有见到他。公爵在自己家里幽居独处。房子的大部分都是公爵夫人占用，她有时也几个星期都见不到公爵。后来我注意到，甚至全家人都很少谈论他，好像他不在家里似的。每个人都尊重他，甚至看得出来，都很爱他，但与此同时，他们看待他，就像看待某个奇异的怪人。似乎他自己也明白他很怪，跟别人有些不同，所以他尽量少让人看见……在适当的时候我必须更为详尽地多谈谈他。

一天早上，人们给我穿上干净、纤薄的内衣，套上一件镶着白色丧饰的黑毛料衣裙，我有些忧闷不解地看着它，接着人们给我梳了头并带我从上面的房间下楼，去公爵夫人的房间。当我被领到她面前时，我像生了根一样站住了：我还从未见过自己周围这样富裕华贵。但这种印象是瞬间的，当听到公爵夫人命令带我靠近些的声音时，我脸色变得苍白。我，在穿衣服的时候，就想着我是在准备受某种折磨，尽管上帝才知道我怎么会生出这类想法。总的来说，我带着对周围一切奇怪的不信任进入了我的新生活。但公爵夫人对我非常亲切，也亲吻了我。我更大胆地望了望她——这就是我从昏厥中醒来时看见的那位漂亮女士。但我在亲吻她的手时全身颤抖，无法鼓足气力回答她的问题。她命令我坐在她旁边的一只矮凳上，似乎这个座位是预先留给我的。看得出，公爵夫人所希望的，无外乎全身心地眷顾我、爱抚我，并完全替代我的母亲。但我怎么都无法明白我撞上受宠的机缘，没能赢得她的任何好感。他们给了我一本漂亮的图画书，吩咐我看一看。公爵夫人自己在给什么人写信，偶尔放下笔，又跟我说起话来；但我迷迷糊糊、颠三倒四，没说出任何得体的话。总而言之，尽管我的经历很是不同寻常，其中大部分是命运在起作用，有各种各样，甚至可以说是神秘的途径，总体来说很多东西都十分有趣、无法解释甚至有些离奇，但我本人，就像故意跟整个戏剧性的设定作对似的，到头来却是个最为普通的孩子，畏畏缩缩，像受了折磨似的，甚至傻呆呆的。最后这一点特别不讨公爵夫人喜欢，而我，看来很快就让她彻底厌烦了，这只能怪我自己，当然。两点多的时候，拜会开始了，公爵夫人突然变得对我更关心也更亲切。来人询问起有关我的事，她回答说，这是个极其有趣的故事，然后她就开始用法语讲了起来。在她讲述时人们望着我，摇头，发出叹息。一个年轻人朝我举着长柄眼镜，一个气味刺鼻的白发小老头想亲吻我，但我的脸一会儿白，一会儿红，双眼低垂坐在那里，不敢动弹，全身都在颤抖。我的内心酸楚又痛苦。我神游到过去，来到我们的楼顶间，回想起父亲，想起我们漫长而沉默的夜晚；想起妈妈，当我想到妈妈——眼里就溢满泪水，喉咙哽咽，我多么想逃走，想消失掉，想一个人待着……然后，当拜会结束，公爵夫人的脸色明显变得严肃起来。她已是更加闷闷不乐地看着我，说话也更不连贯，特别让我感到惊恐的是她那双锐利的黑眼睛，有时整整一刻钟盯在我身上，还有她紧抿着的薄嘴唇。傍晚我被带到楼上。我在寒热中入睡，夜里醒来，又因病态的睡梦而愁苦、哭泣，到了早上又开始了同样的历程，我又被带去见公爵夫人。最后她好像自己都厌倦了向客人们讲述我的离奇经历，客人们也厌烦了对我怜悯。况且我是一个如此普通的孩子，“没有任何天真稚气”，正如，我记得，公爵夫人自己所表露的，当时她跟一位年老的夫人一对一说话，那位夫人问：难道她对我不感到厌烦吗？——于是，一天傍晚，我被彻底带走，从此也没有被带回去了。就这样，我的宠幸结束了。不过，我被允许随便到处走走，想去哪儿都行。由于那深深的、病态的悲伤，我无法在一个地方坐着，能离开所有人，去楼下的那些大房间，真是高兴。我记得，我很想与家里的人们交谈。但我是那样害怕让他们生气，所以我宁愿一个人待着。我最喜欢的消磨时间的方式是躲在某个不显眼的角落里，一件什么家具后面，在那里立即开始回忆并思考发生在我身上的一切。不过，真是怪事！我好像忘了我在父母身边发生的事情的结局，忘了整个恐怖的经历。我面前闪过的只是一幅幅画面，展现着种种事实。而我，的确记得一切——那个夜晚、那把小提琴，还有爸爸，也记得我是如何为他拿到钱的；但要领会、弄清所有的这些事件，我又好像办不到……我只觉得心情更加沉重，而当我触及在死去的妈妈身旁祈祷的那一刻的回忆时，一股寒意便突然滑过我的肢体——我浑身颤抖，轻声尖叫，接着呼吸变得那样沉重，整个胸口那样酸痛，心那样狂跳，以至于惊恐之中我从角落跑了出来。不过，说我被单独撇下不管，那是我未道出实情：我被毫不松懈、十分热心地照料着，公爵的命令也被严格执行，他吩咐给我充分的自由，不受任何约束，但一分钟都不能让我离开视线。我注意到，不时有哪个家里人和仆从向我所在的房间张望，然后走开，一句话也不跟我说。我对这种细心的态度感到惊讶，也有些不安。我无法明白，这样做是为什么。我一直觉得，爱护我是出于某种目的，是想以后对我做些什么事。我记得，我总想去更远的什么地方，这样我就知道在需要时能往哪里躲。有一次，我乘便登上了正面的楼梯。楼梯整个是大理石的，很宽，铺着地毯，摆着鲜花和精美的花瓶。每个楼台都默然坐着两个高高的家奴，穿着极其华丽，戴着手套和最白的领带。我疑惑地看着他们，无论如何都不明白他们为什么坐在那儿，一言不发，互相看着对方什么事都不做。

这样独往独来的散步让我越来越喜欢。此外，我从楼上逃开还有一个原因。楼上住着公爵的老姑妈，几乎从不出门。这位老太太在我记忆中的印象十分鲜明。她差不多是这所房子里最重要的人物。与她交往都要遵守某种庄重的礼仪。即使是公爵夫人，看起来那样高傲和独断专行，也要每周两次，在约定的日子里，上楼对自己的姑妈做私人探访。她通常早上去，双方开始干巴巴的、经常被庄严的沉默打断的交谈。在这期间，老太太要么低声念祷文，要么摆弄念珠。探访不会在姑妈本人想要结束之前结束，她从座位上站起来，亲吻公爵夫人的嘴唇，让她知道见面结束了。先前，公爵夫人必须每天去拜访自己这位亲戚；但后来，随着老妇人的意愿，情况得以缓和，公爵夫人只需在一周余下的五天里每天早上派人问询一下她的健康。事实上，这位老公爵夫人过的几乎是一种幽居生活。她是个老姑娘，三十五岁时，她隐身修道院，在那里生活了十七年，但没有削发；随后她离开修道院来到莫斯科，以便跟她的姐妹、健康状况逐年变差的寡妇、Л.伯爵的夫人生活，还与她的第二个姐妹，也是公爵小姐的 X 和解，她与之争吵了二十多年。但是据说，几个老妇人没过过一天和睦的日子，上千次想要分开，却又做不到，因为她们终于意识到，她们每一个都需要另外两个来预防烦闷无聊和老年的种种猝发症。但是，尽管她们的生活起居毫无吸引力，她们在莫斯科的府邸又被最为郑重其事的无聊所主宰，整个城市还是以不间断地造访这三位女隐士为己任。人们将她们看作所有贵族遗风和传统的守护者，是本生贵族的活生生的编年史。伯爵夫人身后留下许多美好的回忆，她是一个了不起的女人。来自彼得堡的人总是最先拜访她们。能在她们家里受到接待的人，在任何地方都会受到接待。但伯爵夫人死了，姐妹们也分开了：最年长的 X 公爵小姐留在了莫斯科，继承了伯爵夫人遗产中归自己的那份，死去的伯爵夫人没有子嗣；最小的这位修女，则搬到了她的侄子、彼得堡的 X 公爵家里。但公爵的两个孩子，卡佳公爵小姐和阿列克桑德拉，仍留在莫斯科的祖母那里，陪她消愁解闷，安抚她的孤独。热爱自己孩子的公爵夫人在规定的整个服丧期间与孩子分离也不敢说个"不"字。我忘了说，当我在公爵家里住下时，整个宅邸仍在举哀，但这一时期很快就结束了。

老公爵小姐全身黑衣，总是穿着简单的毛料衣服，戴着浆过的、收了细褶的白色衣领，这赋予她一副救济院老太婆的模样。她从未离开过她的念珠，总是郑重其事地外出做日祷，所有的日子里都节制饮食，接受各种神职人员和老成之人的造访，阅读圣经类书籍，总体上过着一种最禁欲苦行的生活。楼上的寂静是可怕的，"吱呀呀"的房门声绝不能有：老太太就像十五岁的女孩一样灵敏，一听到敲门甚至只是"吱呀"一声，她就立即派人去查明缘由。所有人说话都压低声音，走路都踮着脚，可怜的法国女人——也是老太太了，最终被迫放弃了自己最喜欢的带跟的鞋——鞋跟被清除了。在我出现了两个星期过后，老公爵小姐派人来询问我的情况：我什么样，我是谁，是怎么进到这个家的，等等。她即刻获得了恭敬的满足。第二个信使被派到法国女人那里，问公爵小姐为什么还未见到我。这下立刻掀起了一阵忙乱。人们开始给我梳头、洗脸、洗手，可它们本来就很干净，还教我怎样走上前去、鞠躬，怎样显得更愉快而亲切，怎样说话，总而言之，把我折腾得不胜其烦。然后，轮到我们这一方派出一位女信使：公爵小姐是否想看看这个孤女？随之而来的回答是否定的，但指定了最后的期限在明天日祷之后。我一夜未眠，后来有人讲，我整夜都在胡言乱语，说要走近公爵夫人并请求她原谅什么事。将我示人的一刻终于到了。我看到一个瘦小的老妇人，坐在巨大的扶手椅上。她对我点了点头，戴上眼镜以便把我看得清楚一些。我记得，我一点儿也不讨她喜欢。看得出，我完全是个野孩子，既不会行屈膝礼，也不会亲吻双手。提问开始了，我勉勉强强回答了；但说到父亲和母亲时，我哭了起来。老太太对我如此情绪化很不高兴，但她开始安慰我，并叫我把希望寄托给上帝；随后，她又问，我最后一次去教堂是什么时候。由于我几乎听不懂她的问题，因为我的教育很受忽视，老公爵小姐惊讶莫名。她派人叫来了公爵夫人，随后便是一番商量，并安排这个星期日就带我去教堂。在那之前，老公爵小姐答应为我祈祷，但命令把我带出去，因为我，按她的话说，给她留下了十分令人难过的印象。没什么离奇古怪的，事情本该如此。但很明显，我一点儿都不讨她喜欢，当天她就派人来说我太吵闹了，整个房子都能听到我的声音，可我整天坐着一动不动，很显然，这是老太太想当然。不过第二天又有了同样的斥责。碰巧这时我打翻了一只杯子，把它摔碎了。法国女人和所有女仆都陷入了绝望，我立刻被转移到最远的房间，人们全都在深深的恐惧中跟随着我。

但我不知道，这件事是如何结束的。反正因为这个，我很高兴去楼下，独自在一个个大房间里闲逛，知道我不会打扰那里的任何人。

记得，有一次我坐在楼下的一个房间里。我双手捂住脸，低着头，就这样不知坐了几个小时。我一直在想，一直在想……我不成熟的头脑无法排解我所有的悲伤，我的内心变得越来越沉重，越来越腻烦。突然，在我上方传来一个沉静的声音。

"你怎么了，我的小可怜？"

我抬起头来，是公爵，他的脸上露出深深的同情和怜悯，但我却带着一副沮丧、悲惨的模样看着他，以至于一颗泪珠在他大大的蓝眼睛里打转。

"可怜的小孤儿！"他说道，一边抚摸着我的头。

"不，不，不是孤儿！不是！"我说，一声呻吟迸出我的胸口，一切都在我心中升腾、激荡。我站起身来，抓住他的手亲吻着，在上面洒满眼泪，用乞求的声音重复道：

"不，不，不是孤儿！不是！"

"我的孩子，你怎么了，我亲爱的、可怜的涅朵奇卡？你怎么了？"

"我妈妈在哪儿？我妈妈在哪儿？"我喊了起来，大声抽泣着，再也无力掩饰我的忧伤，无助地跪倒在他面前，"我妈妈在哪儿？我亲爱的人，告诉我，我妈妈在哪儿？"

"原谅我，我的孩子！……哎，我可怜的孩子，我提到了她的创伤……我做了什么？来，跟我来吧，涅朵奇卡，跟我来吧。"

他抓住我的手，很快带着我走开。他受到的震撼直抵心灵深处。最后，我们来到一个我从未见过的房间。

这是一间圣像室。此时已是黄昏，长明灯的火光照在圣像的金饰和宝石上闪闪发亮。光彩熠熠的金属片下方阴沉沉地显露出圣人的面目。这里的一切与其他房间是那样不同，那样神秘、沉闷，以至于我深感震惊，某种恐惧控制了我的心。再说，我又是那样神经敏感！公爵急忙扶我跪在圣母像前，自己也跪在我旁边……

"祈祷吧，孩子，祈祷吧，我们俩都祈祷吧。"他用低沉、急遽的声音说。

但我无法祈祷，我感到震惊，甚至恐惧；我想起父亲在最后一夜，在我母亲尸身旁边说的话，于是我开始了神经性发作。我病倒在床上，在我患病的继发期我差点儿死掉；下面就是这件事的经过。

一天早上，有个熟悉的名字在我耳朵里回响。我听见了 C-茨这个名字，是家里的什么人在我床边说出来的。我打了个寒战，一段记忆涌上心头，我回忆着、幻想着、受着折磨，在真正的谵妄中不知躺了几个小时。很晚我才醒来，周围一片漆黑。夜灯熄灭，那个坐在我房间的女仆也不见了。突然我听见一阵遥远的乐声，声音时而完全沉寂，时而越来越响亮，好像在渐渐接近。我不记得，是种什么感觉控制了我，什么意图突然在我患病的头脑里诞生。我下了床，不知哪里来的力气，匆匆穿上丧服，摸索着出了房间。无论在第二还是第三个房间，我都没遇到任何人。最后，我到了走廊上。声音变得越来越清晰了。走廊的正中有个楼梯通到下面，我总是沿着它去那几个大房间。楼梯被照得通明，下面有人走动，我藏进角落，不让别人看见，一有可能就走下楼梯，进入第二条走廊。毗连的大厅里乐声鸣响，那里很是嘈杂，话音喧嚷，仿佛聚集了好几千人。直接从走廊通向大厅的一扇门，遮着红色天鹅绒的巨大双层帷幔。我掀起其中的一层，站进两层帷幔之间。我心跳得那样厉害，以至于我几乎都无法站稳。但几分钟后，我被自己的兴奋所压倒，终于大胆地从边上稍稍拨开第二层帷幔……我的上帝！那个我一直害怕走进去的昏暗大厅，现在闪耀着上千盏灯火。就像一片光海倾泻在我身上，而我那双习惯了黑暗的眼睛在最初一瞬被晃得生疼。芳香的空气，像一阵热风向我脸上吹拂。无数的人前后走动，似乎所有人都带着欢欣、愉快的面容。女人们穿着那般华贵、那般明艳的衣裙；随处我都能看到闪烁着快乐的目光。我站在那里，仿佛中了魔法。我仿佛觉得我曾经见过这一切，某时、某地、在梦里……我脑海里回想着黄昏时节，我回忆起我们的楼顶间，高高的窗户，下面远处灯火闪亮的街道，对面房子挂着红色帷帘的窗户，门口聚集的马车，高傲的马匹的蹄踏和响鼻，喊声，喧闹声，窗户上的影子和微弱而遥远的乐声……原来，这就是天堂所在！我的脑子里闪过一个念头——这就是我和可怜的父亲想去的地方……所以这不是幻想！……是的，我以前在幻想中，在睡梦中见过这一切！病态发燥的幻想在我脑海中闪出火花，莫名喜悦的泪水从我眼里倾泻而出。我双眼寻找着父亲："他一定在这儿，他在这儿。"我想，我的心在期待中狂跳……我上气不接下气。但乐声沉寂下去，传来一阵嘈杂，整个大厅回荡着某种低语声。我急切地看着面前闪过的面孔，竭力辨认出什么人来。突然间，大厅里出现了一种不同寻常的骚动。我看到高台上有一个又高又瘦的老人。他苍白的脸现出微笑，笨拙地弯下腰，朝各个方向鞠躬，他拿着一把小提琴。一阵深深的静默接续而来，仿佛所有这些人都屏住了呼吸。所有脸孔都转向老人，大家都在等待着。他拿起小提琴，弓触碰琴弦。音乐开始了，于是我觉得像有什么东西突然攥住了我的心。在无穷无尽的悲伤中，我屏住呼吸，聆听着这声音：某种熟悉的东西传入我的耳朵，就好像我在什么地方听到过；某种预感在这些声音中活动着，预示着某种令人惊惧、害怕的东西，这预感也在我的心里生成。最后，小提琴的清脆琴音更加有力，传出更快、更尖利的声响。接着便仿佛听到什么人绝望的哀号、怨诉的哭声，仿佛什么人的祈求徒然在整个人群中传响，变得凄楚，在绝望中沉寂下来。某些东西让我的心觉得越来越熟悉。但是心拒绝相信。我咬紧牙关，以免因痛苦发出呻吟，我紧紧抓住帷幔，以免倒下去……有时我闭上眼睛再突然睁开，希望这是一场梦，我会在某个可怕的、令我熟悉的时刻醒来，发现自己梦到了那最后的一夜，听到了同样的声音。我睁开眼睛，想确认一下，急切地向人群望去——不，这是另一些人，另一些面孔……我觉得，每个人都和我一样，在等待着什么，每个人都和我一样，为深深的忧伤所折磨；似乎他们都想对那些可怕的呻吟和哀号大喝一声，让它们消停下来，不要折磨他们的心灵。但哀号和呻吟源源流淌，越来越忧伤、悲苦、持久。突然间，传来最后一声可怕的、悠长的呼喊，随即我的整个身心震颤起来……毫无疑问！正是这个，正是这声呼喊。我认出了它，我以前听到过它，它，就像那时、那一夜，刺穿了我的心。"父亲！父亲！"这就像一道雷电，在我脑海闪过。"他在这儿，是他，他在叫我，这是他的小提琴！"仿佛整个人群中爆发出一声呻吟，可怕的掌声震撼了整个大厅。一阵绝望的、刺耳的哭号从我胸中迸发出来。我再也忍不住了，甩开帷幔就冲进了大厅。

"爸爸，爸爸！这是你！你在哪儿？"我喊道，几乎什么都忘了。

不知我是怎样跑到高个子老人身边的：人们给我让路，在我面前纷纷闪开。我痛苦地呼喊着奔向他，我以为就要拥抱父亲了……突然我看见，我被什么人长长的、瘦骨嶙峋的手抓住，举到空中。什么人的黑眼睛盯着我，似乎要用它的火焰烧死我。我看着老人："不！这不是父亲，是杀害他的凶手！"这一念头在我脑海中闪现。一阵狂暴控制了我，于是突然间我觉得头顶传来他的哈哈笑声，这笑声在大厅里引发齐声的、合力的呼喊。我失去了知觉。

五

这是我生病的第二个也是最后一个阶段。

当我再次睁开眼睛时，看见一个孩子在我上方俯着身子，是个跟我同龄的小女孩，我的第一个动作就是向她伸出双手。第一眼看到她，某种幸福，就像甜蜜的预感充盈了我的心灵。请想象一下，一张完美的可爱面庞——那种引人注目、光彩熠熠的美，你在她面前突然停下来，就像被刺中一般，在甜蜜的尴尬中，因喜悦而颤抖，为她的存在、为您的目光落在她身上、为她从您身边经过而心生感激。这便是公爵的女儿卡佳，她刚从莫斯科回来。她为我这一动作而微笑，而我脆弱的神经因甜蜜的喜悦而隐隐作痛。

公爵小姐唤来父亲，他在两步之外与医生交谈。

"哦，感谢上帝！感谢上帝！"公爵说，握着我的手，他的脸因由衷的情感而焕发光彩。"我很高兴，高兴，非常高兴，"他继续说，出语急遽，按照他一直保持的习惯，"这个，是卡佳，我的小姑娘，你们认识一下吧，这就是你的朋友。祝你早日康复，涅朵奇卡。这么个小祸害，她真把我吓得不轻……"

我的康复进展得很快，过了几天我已经可以走路了。每天早上，卡佳都会来到我的床边，总是带着微笑，带着从不离开她唇边的笑声。我等待她的出现，就像等待幸福那样；我是那样想亲吻她！但这个淘气的女孩也就只来几分钟；她无法稳坐不动，一刻不停地活动、奔跑、跳跃，弄出整座房子都能听到的喧哗和噪声，这是她必然的需要。因此，她第一次就对我宣称，在我身边坐着让她无聊至极，所以她会很少来我这儿，这还是因为她可怜我，所以没办法，不可能不来；但等我康复后我们就好了。每天早上她的第一句话是：

"怎么，你康复了吗？"

由于我仍然又瘦又苍白，在我忧伤的脸上显露的笑容也有些畏葸，公爵小姐立刻皱起双眉，摇摇头，恼怒得直跺脚。

"我昨天还跟你说过，你要好起来！怎么，想必他们不给你吃的吧？"

"是的，不多。"我怯生生地回答，因为我在她面前已经很胆怯了。我想尽全力讨她喜欢，所以我害怕自己说的每句话、做的每个动作。她的出现总是越来越引发我的喜悦。我的目光一直追随着她，当她离开时，我常常仍然像着迷似的望着她站过的地方。我开始梦见她。在现实中，当她不在的时候，我经常编造出一整套与她的对话，做她的朋友，跟她一起闹着玩、淘气，在我们因为什么被数落的时候，跟她一起哭——总而言之，我梦想着她，就像有了恋情那样。我急于康复并尽快胖起来，正如她对我忠告的那样。

有时候，当卡佳早上跑进我的房间，一开口就喊："你还没康复吗？还是那样瘦！"我就畏怯了，像犯了错似的。但我无法在一天之内复原，这比任何事情都让卡佳感到惊讶，所以她开始真的生气了。

"那么，你想让我今天给你拿馅饼来吗？"有一天她对我说，"吃吧，很快就会让你变胖。"

"拿来吧。"我说，很兴奋能再见到她一次。

询问我的健康状况时，公爵小姐惯常在我对面的椅子上坐下，开始用她的黑眼睛打量我。起初，在她与我相识的时候，她带着最为天真的惊讶一刻不停地从头到脚审视着我。但我们的谈话并不顺畅。在卡佳和她乖张任性的作为面前，我很胆怯，可是想跟她说话想得要命。

"你怎么不吭声？"卡佳在短暂的沉默后开口说。

"爸爸在做什么？"我问，很高兴每次都有一句现成话让我开始交谈。

"没做什么。爸爸很好。我今天喝了两杯茶，不是一杯。你喝了多少杯？"

"一杯。"

又是一阵沉默。

"法斯塔夫今天想咬我。"

"是只狗吗？"

"对，是只狗。你难道没见过？"

"不，我见过。"

"那你为什么还问？"

由于我不知该怎么回答，公爵小姐又惊讶地看着我。

"怎么，我跟你说话的时候，你高兴吗？"

"对，很高兴。请你常来。"

"人家跟我说，我来你这儿的时候你会很开心。你快点儿下床吧，今晚我给你带馅饼来……你为什么总不说话？"

"只是因为……"

"你总是在想事，是吗？"

"是的，我想了很多事。"

"人家说我说得太多，想得太少。难道说话不好吗？"

"不，你说话的时候我就高兴。"

"嗯，我去问问莱奥塔尔夫人，她什么都知道。可你在想什么呢？"

"我在想你。"我沉默片刻后回答。

"这样你就快活？"

"是的。"

"那么，你爱我吗？"

"是的。"

"我还不爱你。你那么瘦！来，我去给你拿个馅饼。好了，再见！"

于是公爵小姐几乎是飞着吻了我一下，便消失在了房间外面。

但午饭后馅饼确实出现了。她像个疯子似的跑进来，高兴地哈哈大笑，因为终究给我带来不许我吃的东西。

"多吃点儿，吃好点儿，这是我的馅饼，我自己没吃。好了，再见！"我只见了她这么一眼。

还有一次她突然飞来我这儿，不是在预定的时间，是在午饭后。她的黑色鬈发像被旋风吹散，脸颊烧得紫红，眼睛闪闪发光，就是说，她已经跑跑跳跳一两个小时了。

"你会玩键球吗？"她气喘吁吁地喊道，语速很快，正忙着去什么地方。

"不会。"我回答，特别后悔我没能说：会！

"真可惜！好吧，等你康复了，我教你。我来就是因为这事。我现在跟莱奥塔尔夫人正玩着。再见！人家等我呢。"

我终于能完全下地了，尽管仍然很虚弱，没有力气。我的第一个念头是不再跟卡佳分开。某种不可抗拒的东西将我拖向她。我几乎看不够她，这让卡佳感到惊讶。朝向她的吸引力是那样强烈，我在新的感觉中向前走得那样热切，以至于她不可能不注意到这一点，起初她觉得这是前所未闻的古怪行为。我记得有一次，在玩一种游戏时，我失去控制，扑过去搂住她的脖子开始吻她。她挣脱我的怀抱，抓住我的手，皱起眉头，好像我冒犯了她，问我：

"你干吗？你为什么吻我？"

我很难为情，就像做错了事，她的快速提问让我一哆嗦，没能答出一句话，公爵小姐一抬肩膀，表示无法解释的困惑（这个姿势成了她的习惯），很严肃地抿了一下她那厚嘟嘟的小嘴唇，停下游戏，在沙发的角落里坐下来，从那儿审视了我很久，暗自想着什么，仿佛在解决一个突然出现在她脑海中的新问题。这也是她在所有为难情形下的习惯。我自己也花了很长时间才习惯她性格的这些突兀、生硬的表现。

起初我责备自己，认为我确实有很多奇怪之处。但尽管真是这样，我仍然被困惑所折磨：为什么我不能从一开始就跟卡佳交朋友，一下子让她永远喜爱我。我的挫败让我深感屈辱，我准备为卡佳的每句粗鲁的言辞、为她每个不信任的眼神而哭泣。但我的悲伤不是每日，而是每小时都在增强，因为卡佳的任何事情都进行得非常快。几天过后我就发现，她完全不爱我，甚至开始对我感到厌恶。这个女孩身上的一切都很迅速、突兀，但她直率、天真性格的那些闪电一般的动作中，有一种真正的、高贵的优雅，否则有人会说——那是粗鲁。开始时，她对我先是感到怀疑，然后甚至是蔑视，似乎一开始是因为我完全不会玩任何游戏。公爵小姐喜欢蹦跳玩耍，喜欢奔跑，她强壮、活泼、敏捷；而我——则完全相反。我因为生病仍很虚弱，安静、爱思考，游戏无法让我开心。总而言之，在我身上完全缺乏取悦卡佳的能力。此外，我不能忍受别人因为什么事情对我不满：我会立刻悲伤起来，垂头丧气，以致缺乏力量来弥补自己的错误，改变于我不利的印象——总而言之，我是彻底毁了。卡佳怎么都不能理解这一点。一开始她甚至被我吓到了，按她的习惯惊讶地看着我，因为她在我身上花了整整一个小时，示范如何玩毽球，却毫无成效。由于我立即变得悲伤，以至于眼泪都快从我眼里奔涌而出了。

于是她，在对我三思之后，无论从我身上，还是从自己的思索中都没取得任何成效，最后便彻底撇下我，开始独自玩耍，再也不邀请我了，甚至一整天都不跟我说一句话。这让我那样震惊，以至于我几乎受不了她的忽视。新的孤独对我来说几乎比以前的更难受，我再次开始发愁、沉思，黑暗的念头再次笼罩了我的心。

莱奥塔尔夫人监管着我们，她终于注意到我们交往中的这种变化。由于我最先引起她的注意，我迫不得已的孤独也让她深受震动，她直接去找公爵小姐，责备她不懂得如何对待我。公爵小姐皱起眉头，一抬肩膀，声称她跟我无事可做，说我不会玩，总是在想什么事，她宁愿等她的弟弟萨沙，他就要从莫斯科来这儿了，到那时他们俩就快活多了。

但莱奥塔尔夫人对这种回答并不满意，对她说，她把我一个人丢下，当时我还生着病，我不能像卡佳那样快乐和活泼，不过这样更好，因为卡佳太活泼了，说她做过什么什么，说前天斗牛犬差点儿咬死她——总而言之，莱奥塔尔夫人毫不怜惜地骂了她。最后，还打发她来找我，命令她与我马上和好。

卡佳十分专注地听了莱奥塔尔夫人的话，好像真的在她这些说理中明白了什么新的、对的东西。她丢下刚才在大厅里滚着玩的铁环，走到我面前，认真地看了看我，吃惊地问道：

"您难道想玩？"

"不。"我回答说，当莱奥塔尔夫人责骂卡佳时，我为自己和卡佳感到害怕。

"那您想做什么？"

"我就坐一会儿，我跑不起来，不过只要您别对我生气就行，卡佳，因为我非常爱您。"

"好吧，那我一个人玩，"她平静地、一字一顿地回答，好像惊讶地发现，到头来她并没有错，"那么，再见吧，我不会对您生气的。"

"再见。"我回答说，站起身来，向她伸出手去。

"也许，您想亲吻吧？"她想了一会儿后问我，大概是在回忆我们不久前的拌嘴，希望尽量让我快活一些，以便尽快地、和睦地跟我和解。

"您随便吧。"我怀着畏怯的希望回答。

她走到我身边，认真地吻了吻我，也没有笑。就此完成了所有要求她做的事情，甚至做得比需要的更多，使派她去见的可怜的小姑娘得到完全的快乐，她意足而愉快地从我身边跑开，很快所有房间再次响彻了她的笑声和叫喊声，直到她筋疲力尽，气喘吁吁，才倒在沙发上休息，积蓄新的力量。整个晚上她都在怀疑地看着我：大概，我让她觉得非常奇特、古怪。她似乎想和我说点儿什么，澄清发生在我身上的某些困惑；但这次，我不知道为什么，她克制住了自己。通常卡佳上午开始上课，莱奥塔尔夫人教她法语。整个教学就在于复习语法和阅读拉封丹，也没教授她太多东西，因为勉强才求得她同意每天读书两小时。这一约定是她最后在父亲的要求、母亲的指令下同意的，她非常尽责地履行了这一安排，因为自己做了承诺。她拥有罕见的能力，理解问题很快。但她也有一些小小的怪脾气：如果她不明白什么事，就立即开始自己思考起来，忍着不去找人解释——她似乎以此为耻。据说，她有时会一连几天为她无法解决的某种问题绞尽脑汁，为不靠别人帮忙无法自己克服而生气，只有在最后陷入绝境，已彻底耗尽心力的情况下，她才去找莱奥塔尔夫人，请求帮助她解决她未能应付的问题。每一个行为都是如此。她想得很多，尽管第一眼看上去并非如此。但与此同时，她的天真与年龄不相称：有时她会偶然问出一个非常愚蠢的问题，有时她的回答却显示出最有远见的细致和狡猾。

由于我也终于可以做些事了，莱奥塔尔夫人在测试过我的知识水平后，发现我读得很好，写得很差，断定极其有必要立刻教我法语。

我没有反对，于是在一天早上，我就跟卡佳一起坐在了书桌前。然而，偏偏这一次卡佳仿佛是故意的，极其蠢笨，心不在焉到了极点，以至于莱奥塔尔夫人都认不出她了。而我，几乎是在一堂课上就认识了所有法语字母，希望尽可能以我的勤奋取悦莱奥塔尔夫人。快下课时，莱奥塔尔夫人对卡佳相当生气。

"您看看她，"她指着我说，"一个生病的孩子，第一次学习，做了比您多十倍的事。您不觉得羞愧吗？"

"她比我知道的多吗？"卡佳惊奇地问道，"她还在学字母表呢！"

"您花了多长时间学字母表？"

"三堂课。"

"可她就花了一堂课，所以她比您理解得快三倍，一眨眼就会超过您。是这样吧？"

卡佳想了一会儿，突然脸红了，确信莱奥塔尔夫人的说法是对的。脸红，因尴尬灼烧起来——几乎是她在每次挫折时的第一反应，当她的恶作剧被揭穿时，恼怒也好，出于骄傲也罢，总而言之，几乎所有情形都是如此。这一次，泪水几乎涌上她的双眼，但她沉默着，只是看了看我，似乎想用她的目光烧死我。我立刻猜到是怎么回事。可怜的小家伙骄傲和自尊到了极点。当我们离开莱奥塔尔夫人时，我想说点儿什么，尽快驱散她的懊恼，表明法国女人说的话完全不怪我，但卡佳沉默不语，就像没听见一样。

一个小时后，她走进我坐着读书的房间，我一直想着卡佳，担心害怕她会再次不想跟我说话。她皱着眉头看我，像往常一样坐在沙发上，半小时都没把目光从我身上移开。最后，我忍不住了，询问般地看了看她。

"您会跳舞吗？"卡佳问道。

"不，不会。"

"可我会。"

一阵沉默。

"您会弹钢琴吗？"

"也不会。"

"可我会弹。这很难学会。"

我默不作声。

"莱奥塔尔夫人说您比我聪明。"

"莱奥塔尔夫人生您的气了。"我回答。

"那，难道爸爸也会生气吗？"

"不知道。"我回答。

又是一阵沉默，公爵小姐不耐烦地用她的小脚踢打地板。

"所以您会嘲笑我，因为您比我理解力强？"她最后问道，再也无法忍受自己的烦恼。

"哎呀，不，不会！"我喊叫着，从座位上跳起来，想要冲过去抱住她。

"您难道不觉得羞耻吗，竟然这样想、这样问，公爵小姐？"突然间传来莱奥塔尔夫人的声音，她已经观察了我们五分钟，听见了我们的交谈。"您该觉得羞耻！您开始嫉妒这可怜的孩子，在她面前夸耀您会跳舞、弹钢琴。真羞耻！我会把这些全都告诉公爵。"

公爵小姐的脸烧起一片红晕。

"这是恶劣的情绪。您拿这些问题欺负她。她的父母是穷人，不能为她雇教师；她靠自学，因为她有一颗又好又善良的心。您本该爱她，可您却想跟她吵架。羞耻，羞耻！要知道她是个孤儿，她没有任何亲人。您还可以向她吹嘘您是公爵小姐，而她不是。我让您一个人待着，想想我对您说的话，改正吧。"

公爵小姐想了整整两天！两天没听到她的笑声和尖叫。夜里醒来时，我暗中听见她甚至在睡梦中还继续跟莱奥塔尔夫人争辩。她甚至在这两天里瘦了点儿，亮泽的小脸上的红晕也不那么明显了。最后，第三天，我们两个在楼下相逢，在那些大房间里。公爵小姐正从母亲那里出来，但是，看见我，她停了下来，在对面不远处坐下。我惊恐地等待将要发生的事，浑身上下都在发抖。

"涅朵奇卡，为什么我要因为您挨骂？"她最后问道。

"不是因为我，卡坚卡。"我急忙回答，为自己辩解。

"可莱奥塔尔夫人说我欺负您。"

"不，卡坚卡，不，您没欺负我。"

公爵小姐一抬肩膀，表示困惑不解。

"为什么您总是哭？"沉默了一会儿，她问道。

"我不会哭了，如果您愿意的话。"我忍着泪水回答。

她又一抬肩膀。

"您以前总哭吗？"

我没有回答。

"您为什么要住在我们这儿？"公爵小姐沉默片刻，突然问道。

我惊讶地看着她，仿佛有什么东西刺中了我的心。

"因为我是个孤儿。"我终于鼓起勇气回答。

"您有没有爸爸和妈妈？"

"有过。"

"怎么，他们不爱您？"

"不……他们爱我。"我勉强回答。

"他们是穷人吗？"

"是的。"

"非常穷？"

"是的。"

"他们什么都没教过您吗？"

"他们教我读书。"

"您有什么玩具吗？"

"没有。"

"有甜点心吗？"

"没有。"

"你们有多少个房间？"

"一个。"

“一个房间？”

“一个。”

“有仆人吗？”

“没有，没有仆人。”

“那么谁侍候你们呢？”

“我自己去买东西。”

公爵小姐的问题愈发触痛着我的心。种种回忆，我的孤独，公爵小姐的惊讶——这一切都震慑、刺中了我淌血的心。我激动得浑身发抖，泪水哽咽得喘不过气来。

“您一定很高兴住在我们这儿吧？”

我沉默不语。

“您有好衣服吗？”

“没有。”

“有不好的？”

“是的。”

“我看见您的衣服了，人家给我看了。”

“那您为什么问我？”我说，一种新的、前所未知的感觉让我浑身颤抖，我从座位上站了起来，“您为什么要问我？”我继续说，气得脸都红了。“您为什么嘲笑我？”

公爵小姐涨红了脸，也站了起来，但转眼间她就克服了自己的激动。

"不……我没嘲笑，"她回答，"我只是想知道，您的爸爸妈妈真的很穷吗？"

"您为什么问我爸爸妈妈的事？"我说，痛心地哭了起来，"您为什么要这样提起他们？他们又怎么您了，卡佳？"

卡佳尴尬地站在那儿，不知该怎么回答。就在这时，公爵进来了。

"你怎么了，涅朵奇卡？"他问道，望了我一眼，看见我脸上的泪水。"你怎么了？"他继续说，瞥了一眼脸红得像着了火的卡佳，"你们在说什么？你们为什么吵架？涅朵奇卡，你们为什么吵架？"

但我无法回答。我抓住公爵的手，含泪亲吻着它。

"卡佳，别说谎，到底发生了什么？"

卡佳不会撒谎。

"我说，我见过她的衣服有多不好，是她跟爸爸妈妈在一起时穿的。"

"谁给你看的？谁胆敢给你看？"

"我自己看见的。"卡佳坚定地回答。

"嗯，好吧！你不想告发别人，我了解你。还有呢？"

"然后她哭了，说：'为什么我嘲笑爸爸和妈妈？'"

"这么说，你嘲笑他们了？"

尽管卡佳没有嘲笑，但是，当我第一次这样想时，就知道她内心有这种意图。她一句话也没有回答，就是说她也认同了这一过失。

"现在我们去她那边，请求她的原谅。"公爵指着我说。

公爵小姐的脸白得像块手帕，站在原地不动。

"怎么！"公爵说。

"我不愿意。"卡佳最后低声说道，带着十分坚毅的表情。

"卡佳！"

"不，我不愿意，不愿意！"她突然喊了起来，双眼闪光，跺着脚，"我不愿意请求原谅，爸爸。我不爱她，我不要跟她一起生活……她整天哭也不是我的错。我不愿意，不愿意！"

"跟我来，"公爵说，拉起她的手，带她去自己的书房。"涅朵奇卡，你上楼去吧。"

我想冲到公爵面前，想为卡佳求情，但公爵严厉地重复了自己的命令，我走上楼去，吓得像死了一样发冷。来到我们的房间，我倒在长沙发上，双手捂着脑袋。我数着时间，焦急地等着卡佳，真想扑倒在她的脚边。最后她回来了，没跟我说一句话，走过我身边，在角落里坐下。她的双眼通红，脸颊因泪水肿胀。我的决心全都消失了。我恐惧地盯着她，出于恐惧而无法挪动半步。

我竭尽全力责备自己，竭尽全力向自己证明这都是我的错。我一千次想接近卡佳，也一千次停下来，不知她会如何对待我。这样过去了一天，两天。第二天傍晚，卡佳变得快活些了，在房间里滚着她的铁环，但很快又丢下自己的游戏，一个人在角落里坐下。在躺下睡觉之前，她突然向我转过身来，甚至向我走了两步，张开嘴唇要对我说些什么，但她停了下来，转身上床躺下了。此后又过了一天，惊讶的莱奥塔尔夫人终于开始询问卡佳：她出了什么事？是不是生病了，为什么突然变得沉默了？卡佳答了句什么，就要去玩毽球，但莱奥塔尔夫人刚一转身，她就脸上一红，哭了起来。她跑出了房间，不让我看到她。最后，一切都解决了：在我们争吵整整三天后，她突然在下午走进我的房间，怯生生地走到我身边。

"爸爸吩咐我请求您的原谅，"她说，"您原谅我吗？"

我很快抓住卡佳的双手，激动地喘息着说：

"好的！好的！"

"爸爸命令我跟您亲吻——您亲吻我吗？"

作为回应，我开始亲吻她的双手，在上面洒满泪水。望着卡佳，我看见她身上某种非同寻常的动作。她的嘴唇微微抽动，下巴颤抖，眼睛潮湿了。但她一瞬间便克服了自己的激动情绪，一丝微笑瞬间闪过她的双唇。

"我去告诉爸爸，说我吻了您并请求原谅了。"她轻声说道，仿佛在暗自沉思着，"我已经三天没见到他了，他吩咐说不这样做我就不能进去。"沉默片刻，她又补充道。

说完这些，她怯生生地、若有所思地走下楼去，似乎还不能确信父亲会怎样对待她。

但一小时后，楼上传来喊声、嘈杂声、笑声和法斯塔夫的吠叫声。有什么东西打翻摔碎了，书飞到地上，铁环"咣当当"在各个房间里滚跳，总而言之，我得知卡佳已经和她父亲和好了，我的心高兴得直打战。

但她没来找我，显然是在避免与我交谈。但换来的是，我万分荣幸地引起了她的好奇心。她越来越频繁地在我对面坐下，这样更方便看我。她对我的观察较为天真，总而言之，这个娇生惯养、独断专行的女孩，在家里像宝贝一样被人人宠爱、呵护，她不明白，我是如何在她根本不想见我的时候好几次撞见她。但这是一颗美好、善良的心，总是知道如何仅凭本能为自己找到良善之途。父亲对她的影响最多，她很崇拜他。母亲疯狂地爱着她，却对她非常严厉。卡佳从她那里继承了倔强、骄傲和坚定的性格，但她承揽了母亲所有的古怪脾性，发展到精神上独断专行的地步。公爵夫人对何为教养有一种奇怪的理解，卡佳的教养是狂放的娇宠和毫不动摇的严厉这两者奇怪的混合物。昨天允许的事情，突然间，今天就毫无理由地被禁止了，孩子内心的公正情感被挫败……这个故事后面还要说。我只想指出，这个孩子已经能够界定自己对母亲和父亲的态度。与后者在一起她就是本来的样子，一切都显露在外，没有隐瞒，开朗外向。与母亲在一起则完全相反——孤僻，缺乏信任，无条件地顺从。但她的顺从不是基于真诚或信念，而是基于必要的常规。我随后会做出解释。然而，我得说，我的卡佳尤为值得赞扬的是，她最终理解了自己的母亲，当她服从母亲时，就已完全领会了她无限的爱，那种爱有时达到病态癫狂的地步——公爵小姐宽宏大量地把后面这一点考虑在内。哎！这种考虑后来对她那发热的脑袋瓜也没多大帮助！

但我几乎不明白我身上发生着什么。我内心的一切都被某种新的、莫名其妙的感觉所搅扰，如果我说，我在受苦，被这种新的感觉折磨，那我也没有夸张。总而言之——但愿我的话能够得到原谅——我爱上了我的卡佳。是的，这是爱，真正的爱，有泪水也有喜悦的爱、热情的爱。是什么吸引我？是什么催生了这种爱？它始于我看到她的第一眼，当时我的所有感官都被这个天使一般可爱的孩子的模样甜蜜地震动了。她身上的一切都很美，她的缺点没有一个是与生俱来的——全都是后天养成，全都处于斗争状态。美的开端处处可见，暂时带着虚假的外形；但她身上起始于这场斗争的一切，都闪耀着令人欣慰的希望，都预示着美好的未来。每个人都欣赏她，每个人都爱她，不只是我一个人。时常，我们在三点钟被带去散步，所有路人单单朝她瞥上一眼，便像受到惊吓一般停下脚步，这个幸福孩童的身后不时传来一阵阵惊呼。她为幸福而生，她就该为幸福而生——这便是我与她见面时的第一印象。也许，我内心第一次创生了审美的感觉、优雅的感觉，它第一次展露出来，被美所唤醒——这便是我的爱形成的全部原因。

公爵小姐的主要缺点，或者不如说，她性格的主要因素，那种不可遏止地极力以原来的形式体现出来，而且很自然地处于规避状态、斗争状态的东西，就是骄傲。这种骄傲甚至涉及天真琐碎的小事并到了自尊自爱的程度，比如，遇到抵触，无论是何种情形，都不会让她委屈、生气，而只会让她惊讶。她无法理解，怎么会有什么东西与她期望的不一样。但正义感始终在她心中占上风。如果她确信她是不对的，就会立刻毫无怨言、绝不犹豫地服从裁决。如果说迄今为止在与我的关系中她违背了自己的意愿，那么我要解释说，这一切是出于对我的无法理解的反感，它一时间扰乱了她整个存在的严整与和谐。这种情况也是必然的：她太过专情于自己的爱好，而且始终只有榜样、经验引导她到正途。她所有创举的结果美好而真实，但都是以不断的偏差和谬误为代价交换来的。

卡佳很快就完成了她对我的观察，最终决定不再打扰我。她表现出一副仿佛我不在这个家的样子，对我没有一句多余的话，甚至必要的话也不说；我被排除在游戏之外，排除也不是强行的，而是那样巧妙，就像我自己同意这样似的。上课自有常规，如果出于性格中的悟性和沉静，我被树立成她的榜样，那么我就已经没了伤害她自尊心的荣幸，那份自尊心极其脆弱，以至于连我们的斗牛犬约翰·法斯塔夫爵士都能伤害它。法斯塔夫冷血无情，但它被惹怒时又凶猛如虎，凶猛到了罔顾主人权威的地步。还有一个特点：它不喜欢任何人。但它最强大、最天然的敌人，无疑是老公爵小姐……不过，后面还要讲到这个故事。自尊自爱的卡佳千方百计想要克服法斯塔夫的厌恶——家里竟有只动物，也只有这一个，不承认她的权威、她的力量，不愿在她面前低头，不爱她，这让她很不快。因此，公爵小姐决定亲自向法斯塔夫发起进攻。她要统治和支配一切，法斯塔夫怎能逃脱自己的劫数？但这只不屈不挠的斗牛犬没有投降。

有一次，在午饭后，我们都在楼下的大厅里坐着，斗牛犬安身在房间正中，懒洋洋地享受着午后的安闲。就在这时，公爵小姐突发奇想，想要征服它。于是她丢下游戏，踮起脚尖，以最温柔的名字疼爱地叫着法斯塔夫，亲切地摆手召唤，开始小心翼翼地接近它。但法斯塔夫还是老远就龇着可怕的牙齿。公爵小姐停了下来，她本想走到法斯塔夫身边，抚摸它，这是除了视其为宠儿的公爵夫人以外它决不让任何人做的事。她让它跟自己走：这一壮举很难完成，这伴随着相当大的危险，因为如果法斯塔夫认为有必要，就会毫不费力地咬掉她的胳膊或把她撕成碎块。它像熊一样强壮有力，而我则不安又惊恐地注视着卡佳的把戏。但一下子就让她回心转意并不容易，甚至法斯塔夫轻蔑地露出的牙齿也绝对不足以起到这种作用。确信无法一下子就接近它，公爵小姐困惑地绕着她的对手转圈。法斯塔夫没动地方。卡佳又绕了一圈，直径已大大缩小了，然后绕了第三圈，但当她走到看来是法斯塔夫不可逾越的那条线时，它再次龇了龇牙。公爵小姐一跺脚，气恼地思忖着退了回来，在沙发上坐下。

大约十分钟后，她想出一个新的引诱手段，随即走了出去，回来时拿着储存的小甜面包、馅饼——总而言之，她换了武器。但法斯塔夫是冷血的，可能因为它太饱了，它甚至都没瞧一眼扔给它的那块甜面包。当公爵小姐再次处于法斯塔夫认定为边界的那条不可逾越的线上，对抗便随之发生，而这一次比第一次更可观。法斯塔夫抬起头，龇着牙，轻声呼噜了一下，稍微动了动，像要冲出原位。公爵小姐气得满脸通红，扔下馅饼，又坐回原处。

她坐在那里，整个人都处于极度的激动中。她的一只小脚拍打着地毯，脸颊红得像一团火，眼里甚至涌上恼怒的泪水。碰巧她朝我看了一眼，全部血液都冲上她的头。她决断地一跃而起，迈着最坚定的步子直接走向那条可怕的狗。

或许，这一次惊讶对法斯塔夫的作用过于强烈。它让敌人越过防线，只有到了两步远的地方，才用最不祥的咆哮迎接鲁莽的卡佳。卡佳停下片刻，但只是片刻，接着又果决地走上前去。我被吓呆了。公爵小姐生气勃发，我还从未见过她这样：她眼里闪耀着胜利、得意的光芒。以她的模样可以描画出奇妙的画像。她勇敢地承受了狂怒的斗牛犬那骇人的目光，在它可怕的大口面前没有发抖。它欠起身子，从它那毛茸茸的胸中发出恐怖的咆哮；再过一分钟，它大概就会把她撕碎。但公爵小姐高傲地把她的小手放在它身上，得意扬扬地在它的背上摸了三下。一瞬间斗牛犬陷入了犹豫不决。这一瞬间是最可怕的；但它突然重重地挺起身子，伸了个懒腰，可能考虑到不值得搭理小孩子，便悄悄地走出了房间。公爵小姐得意地站在被她占领的地盘上，向我投来了一个难以言传的眼神，那眼神显示出一种餍足感，一种对胜利的陶醉。但我的脸色苍白得像块手帕，她注意到了，微微一笑。但她的脸颊上已经蒙上一层致命的惨白。她勉强走到沙发边，几乎昏厥一般倒在上面。

　　但我对她的痴迷已然没了止境。从我为她承受如此恐惧的那一天起，我已经无法控制自己。我在渴望中煎熬，上千次准备扑上去搂住她的脖子，但恐惧将我钉在原地，不能动弹。我记得我曾试图逃避她，不让她看到我的激动，但当她无意间进入我藏身的房间，我就打起哆嗦，心脏开始怦怦跳，以至于都快头晕了。我觉得我这位调皮鬼注意到了这一点，两天来她自己也处于某种尴尬之中，但她很快就习惯了这一事态。就这样，整整一个月过去了，其间我默默地忍受着。我的感情具有某种无法解释的延伸性，如果可以这样表达的话；我的天性会忍耐到极点，所以只有在极端情况下才会爆发，情绪才突然表露出来。必须指出，在这段时间里，我跟卡佳说的话不超过五个字；但我逐渐从某种微妙的迹象中注意到，她内心发生的这一切不是出于忘却，不是出于对我的漠不关心，而是出于某种刻意的回避，就好像她向自己保证要将我限制在一定的界限之内。但我晚上已经睡不着觉，白天我甚至在莱奥塔尔夫人面前也无法掩饰我的窘迫。我对卡佳的爱甚至达到了奇怪的地步。有一次，我偷偷拿了她的一块手帕，还有一次拿了一条丝带，是她编头发用的，整夜我都在亲吻它们，泪流满面。起初我被卡佳的冷漠折磨得委屈生气，但现在我内心的一切都模糊起来，而我无法为自己的感受给出答案。就这样，新的印象渐渐取代了旧的，有关我悲伤往昔的回忆失去了病态的力量，在我内心已被新的生活取代了。

　　曾记得，我有时夜里醒来，下了床，踮起脚尖走向公爵小姐，就着我们那盏夜灯的微弱光线，一连几个小时看着熟睡的卡佳；有时我坐在她的床上，弯腰贴近她的脸，迎面吹来她温热的呼吸。我悄悄地、惊恐地哆嗦着，我亲吻她的小手、肩膀、头发、小脚——如果有一只脚从被子下面伸出来的话。渐渐地，我注意到——由于我整整一个月都没把目光从她身上移开——卡佳一天比一天更沉静了，她的性格开始失去其本身的匀度：有时你一整天都听不到她的喧闹，可有时又会掀起一阵从未有过的吵嚷。她变得暴躁、苛刻、爱脸红、经常生气，跟我甚至到了要在小事上采用残忍手段的地步：时而突然不想在我旁边吃饭，不愿在我附近就座，好像她对我感到厌恶；时而突然去找她母亲，一整天都坐在那儿，也许知道我没了她就会因愁苦而憔悴；时而突然开始一连几个小时看着我，以致我不知如何逃避这要命的尴尬，脸一阵红，一阵白，可就是不敢离开房间。卡佳已经有两次抱怨发了寒热，可我先前都不记得她生过什么病。最后，突然在一天早上有了一个特殊的安排：按照公爵小姐迫切的愿望，她搬到了楼下母亲那里。当卡佳抱怨发热时，公爵夫人差点儿吓死过去。必须要说明一下，公爵夫人对我非常不满，她注意到卡佳身上所有的变化，还把这些都归因于我，正如她所说的，我阴沉的性格对她女儿性格有影响。她早就想把我们分开了，但一直推延时间，因为她知道她将不得不忍受与公爵发生严重的争执，公爵虽然事事让着她，但有时也会变得毫不退让，固执到不可动摇的地步。她可是完全了解公爵的。

我对公爵小姐搬走深感震惊，整整一个星期都在最痛苦的紧张心境中度过。我被苦闷折磨着，绞尽脑汁地想着卡佳厌恶我的原因。悲伤撕碎了我的心，一种正义和愤慨之情开始在我受屈辱的心中升腾。某种骄傲突然在我内心诞生，当别人带我们出去散步的那一个钟点，我跟卡佳聚在一起时，我以那样独立、那样严肃、那样不似从前的态度看着她，以至于令她大感震惊。当然，这样的变化在我身上只是一时突发，随后我的心就又开始越来越痛，而我也变得越来越软弱，比以前更加怯懦。终于有一天早晨，让我万分困惑而又高兴得发窘的是，公爵小姐回到了楼上。一开始她疯狂地笑着扑过去搂住莱奥塔尔夫人的脖子，宣布说她又搬到我们这儿来了，然后她向我点点头；她请求允许这天上午什么都不学，获准后便嬉闹、奔跑了一上午。我从没见过她比这更活泼、更快乐的样子。但傍晚时分她安静下来，若有所思，某种悲伤又在她可爱的小脸蛋上蒙上了阴影。公爵夫人晚上来看她的时候，我看到，卡佳不自然地尽量显出快活的样子。但是，母亲离开后，留下她一个人时，她突然起劲地开始流泪。我震惊不已。公爵小姐看出我在注意她，便走了出去。总而言之，某种意想不到的危机在她内心准备就绪。公爵夫人咨询了医生，每天都把莱奥塔尔夫人叫去，询问有关卡佳的最细微的问题，吩咐观察她的一举一动。只有我一个人预感到了真相，一种期望有力地敲击着我的心。

总之，一段小小的罗曼司终成正果，行将完结。卡佳回归后的第三天，我注意到她整个上午都在用那样奇异的眼神看着我，用那种悠长的目光……有几次我与这目光相遇，每次我们俩都会脸红，垂下眼帘，仿佛互相感到羞愧。最后，公爵小姐笑了笑，从我身边走开。时钟敲响三点，人们开始为我们穿衣外出散步。突然卡佳朝我走来。

"您的鞋子松开了，"她对我说，"让我来系上。"

我正要自己弯下腰时脸突然红得像颗樱桃，因为卡佳终于和我说话了。

"让我来！"她不耐烦地对我说，笑了起来。随即她弯下腰，强行抱起我的脚，放在自己的膝盖上，系紧鞋带。我喘息着，我不知道该如何应付这甜蜜的惊吓。系好鞋子，她站起身，从脚到头打量起我来。

"喉咙这儿也敞着，"她说，细小的手指触碰着脖子部位裸露的皮肤，"我来系上吧。"

我没有抗拒。她解开我的颈巾，用她自己的方式系好。

"否则会招上咳嗽的。"她说，调皮地微笑着，对我闪动那双润泽的黑眼睛。

我不能自己，我不知道自己是怎么了，卡佳是怎么了。但，感谢上帝，很快我们的散步就结束了，否则我就会克制不住扑过去在大街上亲吻她。不过，走上楼梯时，我设法偷偷在她肩膀上吻了吻。她注意到了，哆嗦了一下，但一句话也没说。傍晚时分，她被盛装打扮带到楼下。公爵夫人那里来了客人。但这天晚上房子里发生了一场可怕的骚动。

卡佳生出一场神经性的发作，公爵夫人被吓得丢了魂一般。医生来了，不知该说什么。当然，所有人都推说这是儿童的常见病，只能归咎于卡佳的年龄，但我不这样想。第二天早上，卡佳像往常一样出现在我们面前，面色红润，神情愉快，无比健康，却带着她前所未有的乖戾念头和任性要求。

首先，她整个上午都不听莱奥塔尔夫人的话。然后，她突然想去老公爵小姐那里。与常态相反，老太太原本无法忍受自己的侄孙女，经常与她争吵，也不想看见她，这次却不知怎么应允接待她。起初一切都很顺利，第一个小时她们相处和睦。滑头卡佳突然想为自己的全部过失，为嬉闹、喊叫、为她不让老公爵小姐安生而请求宽恕。老太太郑重地含泪原谅了她。但这个小顽皮突然想走得更远。她顿生一念，要讲一讲那些还只存在于最疯狂的图谋和计划中的恶作剧。卡佳伪装出一副恭顺、恪守斋戒和全然忏悔的样子，总而言之，伪君子异常欣喜，她的自尊心大获满足，为的是即将战胜卡佳——这个宝贝、全家的偶像，她甚至有本事迫使自己的母亲实现其怪诞的愿望。

于是这个小淘气承认，首先，她曾有意在老公爵小姐的衣服上粘一张名片；然后把法斯塔夫放在她床下；然后掰断她的眼镜，把她的书统统拿走，代之以从妈妈那儿拿来的法国小说；然后弄些响炮撒在地板上；然后在她的衣袋里藏一副纸牌，等等，等等。总而言之，恶作剧一个比一个坏。老太太大为光火，气得脸白一阵，红一阵。卡佳忍不住了，哈哈大笑着从姑奶奶身边跑开。老太太立刻派人去叫公爵夫人。整个事端就此开始，公爵夫人眼含泪水两个小时，乞求这位亲戚原谅卡佳，考虑到她在生病，不要施加惩罚。老公爵小姐一开始不想听，她声称，第二天就离开这个家，变得缓和也只是因为公爵夫人向她保证女儿康复后再惩罚她，这才平息了公爵小姐的义愤。不过卡佳受到严厉的训斥，她被带到楼下公爵夫人的房间。

但这个小调皮在午饭后还是逃掉了。我偷偷下楼时，恰好在楼梯上遇见了她。她稍稍推开门，招呼法斯塔夫。我瞬间猜到她正在策划一场可怕的报复。事情就是这样的——

老公爵小姐再没有比法斯塔夫更不可调和的敌人了。它不跟任何人亲热，也不爱任何人，它傲慢、自大、野心勃勃到了极点。它不爱任何人，但显然要求所有人给予它应有的尊重。所有人也确实如此待它，不过在尊重中掺入了适当的恐惧。但突然间，随着老公爵小姐的到来，一切都变了：法斯塔夫受了极大的冒犯——那就是，它被正式禁止上楼。

一开始法斯塔夫因受辱很是气愤，整整一个星期都在用爪子抓着从楼上通到下面房间的楼梯尽头的门；但很快它就猜到被驱逐的原因，在老公爵小姐外出去教堂的第一个星期天，法斯塔夫就尖声吠叫着扑向这可怜的女人。人们好不容易把她从受辱公狗的凶残报复中解救出来，因为它被赶走是依照老公爵小姐的命令，她声称她见不得它。从那时起，法斯塔夫以最为严格的方式被禁止上楼，老公爵小姐下楼时，它就被赶到最远的房间。最严格的责任落在仆人身上。但这只复仇的野兽还是找到办法闯上去三次。它一冲上楼梯，就穿过一长排房间去老太太的寝室。没有什么能阻挡它。幸运的是，老太太的门总是锁着的，法斯塔夫也仅限于在门前吓人地嗥叫，直到人们跑过来把它赶下去。老公爵小姐呢，在这只不屈不挠的斗牛犬造访的整个过程中大声喊叫，好像她被吃掉了似的，而且每次都被吓得真生起病来。她几次向公爵夫人提出 ultimatum，甚至达到那种地步，有一次忘乎所以地说，要么她，要么法斯塔夫必须离开这个家，但公爵夫人不同意与法斯塔夫分开。

公爵夫人喜爱的人不多，除了孩子们，这世上她最爱的就是法斯塔夫。这是为什么？一次，大约六年前，公爵散步回来，随身带了一只小狗，肮脏、病弱，看上去非常可怜，不过，这倒是只血统最纯正的斗牛犬。公爵救了它一命。但由于这位新居民不识礼节，行为粗野，在公爵夫人的坚持下被带到后院并拴了绳索。公爵没有反对。两年过后，当全家人住在乡下别墅时，萨沙——卡佳的弟弟，掉进了涅瓦河。公爵夫人惊呼一声，第一个动作就是跳入水中去救儿子。人们勉强救下她，否则必死无疑。这时孩子很快被水流冲走，只有他的衣服漂在水面上。人们赶快去解小船的缆绳，但除非奇迹出现，他才能得救。突然，身形巨大、勇士般的斗牛犬冲入水中，挡住溺水的男孩，用牙齿咬住他，带他一起凯旋般地游向岸边。公爵夫人冲过去亲吻那只又脏又湿的狗。但是法斯塔夫（当时用的还是平淡无奇、高度平民化的名字"弗里克萨"）无法忍受任何人的爱抚，竟然倾其牙齿之力在她肩头咬了一口，作为对公爵夫人的拥抱和亲吻的回应。公爵夫人一生都为这一创伤所苦，但她的感激是无止境的。法斯塔夫被带到内室，清洗干净，得到一个做工精美的银项圈。它定居在公爵夫人书房一张华丽的熊皮上，随即公爵夫人就得以抚摸它而不必担心即刻会受到惩罚。得知自己的宠物名叫弗里克萨，她感到非常震惊，立即开始寻找一个新的名字，尽可能古老些。但列克托、塞尔伯尔等名字又太平庸，需要一个完全体面的家中宠儿的名字。最后，公爵考虑到弗里克萨异乎寻常地贪食，建议这只斗牛犬叫作法斯塔夫。这一名号被欣然接受，就此一直伴随着这只斗牛犬。法斯塔夫的表现很好：像个地地道道的英国人，沉默、阴郁，不会先向什么人扑过去，而只是要求别人恭敬地绕开他那块熊皮上的地盘，表现出应有的尊重。有时它好像惊厥发作，被一股怒气控制了，在这种时刻，法斯塔夫怀着悲伤回忆起，它的敌人，它那无法和解的敌人，那个侵犯它权利的人，还没有受到惩罚。这时它便悄悄溜到通向上面的楼梯旁，继而发现，按照常规，那扇门总是锁着，它便在不远处卧下，躲进一个角落，阴险地等着什么人一时疏忽，没锁上面的门就离开。有时这记仇的野兽一等就是三天。但看门的严令业已下达，法斯塔夫已有两个月没在楼上出现了。

"法斯塔夫！法斯塔夫！"公爵小姐招呼着，打开门，亲热地引诱法斯塔夫上楼来我们这儿。

这时候的法斯塔夫，感到门被打开，已经准备跨越自己的卢比肯河了。但公爵小姐的呼唤对它来说是那样不可能，以至于一时间它断然拒绝相信自己的耳朵。它像猫一样狡猾，为了不显露出它已注意到开门人的疏忽，它走到窗前，把自己强有力的爪子放在窗台上，开始审视对面的建筑——总之，它表现得像一个完全不相干的人，散步时停下片刻欣赏邻近房舍美丽的建筑式样。与此同时，它的心在甜蜜的期待中悠然跳动。当门在它面前完全敞开，它是多么惊讶、喜悦、欣喜若狂啊，再说，还有人召唤它，邀请、恳求它上去，立即满足它正义的复仇！它，高兴地尖叫一声，龇出牙齿，形状骇人，所向无敌，像箭一样冲了上去。

它的冲力如此猛烈，以至于通路上遇到的一把椅子被它撞飞，弹出去一沙绳远，就地翻了个底朝天。法斯塔夫像挣脱了大炮的弹球一样飞出去。莱奥塔尔夫人惊恐地叫了起来，但法斯塔夫已经飞驰到那扇不可侵犯的房门前，用两只爪子使劲撞，但没能打开，于是它便亡魂似的嚎叫着。回应它的是一阵老处女可怕的叫喊声。不过这时已经由四面八方奔来敌方军团，整个家都搬到了楼上，于是法斯塔夫，凶猛的法斯塔夫，嘴上被干脆利索地套上罩子，四条腿都被拴住，毫无颜面地败下阵来，戴着套索被拖到楼下。

一名特使被派去见公爵夫人。

这一次公爵夫人无意原谅赦免，但要惩罚谁呢？她转瞬之间就猜到了，她的目光落在卡佳身上……原来如此：卡佳一脸苍白站在那儿，吓得直打哆嗦。这个小可怜现在才领悟到自己这场恶作剧的后果。怀疑可能落在仆人身上，落在无辜的人身上，于是卡佳准备说出全部真相。

"是你干的？"公爵夫人厉声问道。

我看见卡佳脸如死灰，便走上前去，用坚定的声音说：

"是我把法斯塔夫放进去的……我不是故意的。"我补充道，因为我的全部勇气在公爵夫人可怕的注视下都消失了。

"莱奥塔尔夫人，请处罚吧！"说完，公爵夫人就离开了房间。

我望了一眼卡佳：她愣愣地站在那儿，双臂垂在两侧，苍白的小脸望着地面。

对公爵的孩子们唯一使用的惩罚是把他们关进空房间。在空荡荡的房间里坐上两个小时——倒没什么。但一个孩子被强行关进去，违背他的意志，还宣布说他被剥夺了自由，这种惩罚就相当严厉了。通常他们把卡佳或她弟弟关两个小时。我被关了四个小时，这是考虑到我的罪行的严重性。我兴奋难耐，走进自己的囚牢。我想着公爵小姐，我知道我赢得了胜利。我在其中待了不止四个小时，而是一直坐到早上四点。下面就是这件事的原委。

在我被监禁了两小时后，莱奥塔尔夫人得知她女儿从莫斯科来到此地，突然生了病，希望见见她。莱奥塔尔夫人走的时候忘了我的事。照料我们的女仆大概以为我已经被放了出来。卡佳被叫到楼下，被迫在她母亲那里待到晚上十一点。回来时，发现我不在床上，她十分惊讶。女仆给她脱了衣服，安顿好，但公爵小姐有自己的理由没问起我。她躺下了，等着我，大概知道我被拘押四个小时，以为我们的保姆会把我带回去。但娜斯佳把我忘得一干二净，况且我一直是自己脱衣服的。就这样，我在拘押中过了一夜。

夜里四点钟，我听见有人在我的房门上又敲又撞。我正设法躺在地板上睡觉，醒来后吓得大声喊叫，但我立刻分辨出卡佳的声音，听上去比任何人都响亮；然后是莱奥塔尔夫人的声音，再是受惊吓的娜斯佳的、女管家的。最后她们打开了门，莱奥塔尔夫人含着眼泪抱住我，请求我原谅她把我忘了。我扑上去搂住她的脖子，泪流满面。我冷得直打哆嗦，全身骨头都疼，因为躺在了光秃秃的地板上。我两眼寻找卡佳，但她跑进了我们的卧室，跳上了床，等我进去时，她已经睡着或假装睡着了。从傍晚起她就一直等我，后来不留神睡着了，一直睡到早上四点钟。当她醒来时，就大吵大闹，叫醒了已经回来的莱奥塔尔夫人、保姆和所有女仆，才把我解救出来。

第二天早上，家里所有人都得知了我的历险，甚至公爵夫人也说，我受到了过于严厉的对待。至于公爵，那天我平生第一次见他这样怒气冲冲。他在早上十点多钟上楼，情绪非常激动。

"容我问一句，"他开始对莱奥塔尔夫人说，"您在做什么？您是怎么对待这可怜的孩子的？这是野蛮，纯粹的野蛮，是斯基泰式的残暴！这是个生病、虚弱的孩子，这样爱憧憬又胆怯的小姑娘，耽于幻想，却把她关在黑暗的房间里，关了一整夜！这会毁了她的！难道您不知道她的经历？这样做是野蛮的，是不人道的。我再跟您讲，夫人！而且怎么会用这种惩罚？是谁发明的，谁能发明这种惩罚？"

可怜的莱奥塔尔夫人眼含泪水，惊惶不安地开始向他解释整个事件，说她忘了我的事，她女儿来了，但惩罚本身是好的，如果持续时间不长的话，又说甚至让-雅克·卢梭也有类似的说法。

"让-雅克·卢梭，夫人！但让-雅克不可能这么说。让-雅克不是权威。让-雅克·卢梭不敢谈论教养问题，他没有权利这样做。让-雅克·卢梭放弃了自己的孩子，夫人！让-雅克是个坏人，夫人！让-雅克是个坏人。"

"让-雅克·卢梭！让-雅克是个坏人！公爵！公爵！您在说什么啊！"

莱奥塔尔夫人登时满脸通红。

莱奥塔尔夫人是个了不起的女人，她最不喜欢显得受屈生气；但触动某位她最喜欢的人，惊扰高乃依、拉辛的古典主义的亡魂，侮辱伏尔泰，称让-雅克·卢梭是坏人，称他为野蛮人，我的上帝！泪水涌出莱奥塔尔夫人的眼眶，老太太激动得浑身发抖。

"您忘乎所以了，公爵！"她最后说道，激动得难以自控。

公爵立刻醒悟过来并请求原谅，然后走到我面前，动情地吻了吻我，画了个十字，便离开了房间。

"Pauvre prince!"莱奥塔尔夫人说，自己也深受感动。随后我们在课桌前坐下来。

不过公爵小姐学习很不专心。在去吃午饭之前，她走到我身边，脸颊烧得通红，唇边带着笑意，在我面前停下，抓住我的肩膀，说话匆匆忙忙，好像为什么事情感到羞愧。

"怎么？昨天是为了我才挨罚吧？午饭后我们去厅里玩会儿。"

有人从我们身边经过，公爵小姐立刻背过脸去。

饭后，黄昏时分，我们俩下楼来到大厅，手拉着手。公爵小姐处于深深的激动之中，呼吸急促。我又快乐又幸福，这是从来没有过的。

"你想玩球吗？"她对我说，"站这儿吧！"

她让我待在大厅的一个角落里，可她自己并没有走开且把球扔给我，而是停在离我三步远的地方，看了看我，面红耳赤倒在沙发上，用双手捂住脸。我向她移了一步，她以为我想走开。

"别走，涅朵奇卡，跟我待着，"她说，"过一阵就好了。"

但转眼间她跳了起来，满脸通红，满眼是泪，扑过来搂住我的脖子。她的脸颊是湿的，嘴唇肿得像樱桃，鬓发散乱不整。她疯狂地吻着我，吻我的脸、眼睛、嘴唇、脖子、手臂；她歇斯底里地抽泣着；我紧紧贴着她，我们甜蜜地、快活地拥抱在一起，像朋友，像久别重逢的恋人。卡佳的心跳得那样厉害，我都能听到每一次搏动。

但隔壁房间里传来一阵呼唤，有人叫卡佳去公爵夫人那里。

"哎，涅朵奇卡！好吧！晚上见，夜里见！现在上楼去吧，等我。"

她最后一次亲吻我，安静无声，充满深情，然后便在娜斯佳的召唤下匆匆离开了。我跑上楼去，像一个起死回生的人，扑倒在沙发上，把头埋在枕头里，兴奋地哭了起来。我的心在狂跳，仿佛要撞穿胸膛。我不记得我是怎样熬到夜里的。最后，时钟敲响了十一点，我躺下睡觉了。公爵小姐直到十二点才回来，她从远处向我微笑，但一句话也没说。娜斯佳开始为她脱衣服，像是故意拖延时间。

　　"快点儿，快点儿，娜斯佳！"卡佳嘀咕着。

　　"您怎么了，公爵小姐，您一定是在楼梯上跑来着，您的心怎么跳得这么厉害？"娜斯佳问道。

　　"哦，我的上帝，娜斯佳！真烦人！快点儿，快点儿！"公爵小姐生气地用一只小脚跺着地板。

　　"哎，多好的小心肝！"娜斯佳说，给公爵小姐脱下鞋子，吻了一下她的小脚丫。

　　终于一切都结束了，公爵小姐躺下，娜斯佳离开了房间。转眼间卡佳就从床上跳了起来，朝我扑过来。我尖叫一声，迎着她。

　　"去我那儿吧，跟我一起睡！"她说着，把我从床上拉起来。片刻之后我就到了她的床上，我们相拥在一起，贪婪地紧贴着对方。公爵小姐把我吻了个遍。

　　"我倒是记得，你夜里是怎么吻我的呢！"她说，脸红得像罂粟。

　　我啜泣起来。

　　"涅朵奇卡！"卡佳含着眼泪低声说，"你是我的天使，我早就、早就爱上你了！你知道从什么时候开始的吗？"

　　"什么时候？"

"就是爸爸下令请求你原谅，而你护着自己的爸爸的时候，涅朵奇卡……我的小——孤——儿！"她拖长声音，再次在我身上洒遍亲吻。她又是哭又是笑。

"哎，卡佳！"

"怎么呢？怎么呢？"

"为什么我们那么长时间……那么长时间都……"我说不下去了。我们相互拥抱，有两三分钟没说一句话。

"听着，你说，你想过我吗？"公爵小姐问。

"哎呀，想得可多了，卡佳！我一直想，日夜都在想。"

"夜里你还说我呢，我听见了。"

"真的？"

"还哭过很多次呢。"

"你瞧！可你为什么总那么高傲？"

"是我愚蠢吧，涅朵奇卡。我常常会这样，就是这么回事。我总是对你那么凶。"

"因为什么啊？"

"因为我自己不好吧。首先是因为你比我好，然后是因为爸爸更爱你。不过爸爸是个善良的人，涅朵奇卡！是吗？"

"哦，是的！"我含着眼泪回答，想起了公爵。

"他是个好人，"卡佳认真地说，"可我该怎么对待他？他总是那样……嗯，然后我开始请求你原谅，差点儿哭起来，然后为这件事又生起气来。"

"我看见了，我看见你都要哭了。"

"哎，闭嘴吧，你这个傻瓜，你自己就是个爱哭精！"卡佳冲我喊着，用手捂住我的嘴，"听着，我真的很想爱你，然后突然我想恨你，我是那么恨你，那么恨你！……"

"为什么啊？"

"我当时那么生你的气。不知道是为什么！然后我看出来了，没有我，你就活不下去。我就想，我就这么折磨她，讨厌的小姑娘！"

"哎，卡佳！"

"我的小可爱！"卡佳说，吻着我的手，"然后，我就不想跟你说话，怎么都不想。你还记得我抚摸法斯塔夫的事吗？"

"你呀，真是什么都不怕！"

"可我真的……胆……怯了，"公爵小姐拉长声音，"你知道，为什么我要靠近它？"

"为什么？"

"因为你在看啊。当我看见你正在看……哎！我就不管不顾，走过去了。我吓着你了吧？你为我担心吗？"

"担心极了！"

"我看到了。我很高兴法斯塔夫卡走了！上帝啊，它走了，后来我才真的害怕了，那样的大……怪……物！"

公爵小姐神经质地哈哈笑了几声，然后突然抬起她发热的脑袋，开始专注地看着我。小小的泪滴，就像珍珠，在她长长的睫毛上颤动。

"真的，你身上到底有什么，让我这样爱你？瞧，你脸色那么苍白，头发也是那么淡淡的金黄，人也是傻乎乎的，还是个爱哭鬼，一双蓝眼睛，我的小孤儿！！！"

卡佳弯下身子，又无数次地吻着我。她的几滴眼泪落在我的脸颊上。她深深动了情。

"瞧我多么爱你啊，可我一直在想——不，不！我不能告诉她！多固执啊！我害怕什么呢，我有什么对你害羞的！看，我们现在多好！"

"卡佳！我觉得太好了！"我说，整个人都处在兴奋的狂乱之中，"高兴得心都疼了！"

"是啊，涅朵奇卡！你往下听啊……对了，听着，是谁给你取了'涅朵奇卡'这个绰号？"

"妈妈。"

"你把妈妈的事都给我讲讲好吗？"

"好，全都讲，全都讲。"我欣喜若狂地回答。

"你把我的两块手帕弄到哪儿去了，带花边的？还有，你为什么要把丝带拿走？哎，你真不知羞耻！这事我知道。"

我笑了，脸红得都快掉眼泪了。

"不行，我想，我要折磨她，让她等着。可有时我想，我根本不爱她，我受不了她。可你总是那么温顺，真是我的小绵羊！我多害怕你觉得我愚蠢啊！你很聪明，涅朵奇卡，你非常聪明，对吧？"

"哦，你说什么啊，卡佳！"我回答说，差点儿生气了。

"不，你很聪明，"卡佳坚定而严肃地说，"这我知道。只是有一天早上起床时，我就那样爱上了你，真可怕！我整夜梦的都是你。我想，我要去找妈妈，请求住在她那里。我不想爱她，不想！第二天夜里我睡着了，心想，她要是能来就好了，像昨天夜里那样，可你真的来了！哎，我多会装睡啊……哎，我们俩多么无羞无耻啊，涅朵奇卡。"

"那你为什么不愿意爱我？"

"嗯……我在说什么呢！我一直都爱着你！我一直都爱你！后来我就受不了了。我想，有一天我会吻她，或者又掐又拧弄死她。这就让你尝尝，你这个小傻瓜！"

于是公爵小姐掐了我一下。

"你还记得我给你系鞋带的事吗？"

"记得。"

"记得！你觉得挺好吧？我看着你，真可爱啊；我想，我来给她系鞋带，看她怎么想！我自己感觉挺好。你知道，真的，我想跟你亲吻……可又没有吻。然后又觉得那样可笑，太可笑了！一路上，我们一起散步的时候，我就突然想哈哈大笑。我都不能看你，太可笑了。而我是多高兴你为我去了监牢啊！"

"监牢"就是那个空房间。

"可你害怕了吗？"

"害怕极了。"

"我高兴的不是因为你揽到自己身上，而是你为了我坐监牢！我想，现在她在哭呢，我是多爱她啊！明天我要那样亲吻她，那样亲吻她！可我也不可怜你，真的，不可怜你，虽说我哭了。"

"但我没哭，我偏偏还高兴呢。"

"你没哭？哦，你真坏！"公爵小姐喊了一声，用两片嘴唇吸吮着我。

"卡佳，卡佳！我的上帝，你多漂亮啊！"

"难道不是吗？好了，现在你想对我做什么就做什么吧！折磨我，拧我！求你了，掐我！我的小鸽子，掐吧！"

"调皮鬼！"

"哦，还有什么？"

"小傻瓜……"

"还有呢？"

"还要给我一个吻。"

我们亲吻、哭泣、哈哈大笑，我们的嘴唇都吻得肿了起来。

"涅朵奇卡！首先，你要一直来我床上睡。你喜欢接吻吗？我们要接吻。然后我不想让你那样烦闷。为什么你那样闷闷不乐？你跟我说说啊！"

"我全都跟你说，不过我现在也不烦闷，我很开心！"

"真的，你也会有一对红润脸颊的，像我一样！哎呀，真想让明天快点儿到来！你困了吗，涅朵奇卡？"

"没有。"

"好，那就说说话吧。"

我们又聊了两个小时。上帝知道还有什么我们没有说到。首先，公爵小姐告诉我她自己对未来的全部计划和当前的状况。我从而得知，她爱爸爸胜过爱任何人，几乎胜过爱我。然后我们俩都认为，莱奥塔尔夫人是一个了不起的女人，她也完全不算严厉。接着，我们随即想好了我们明天、后天要做的事情，恨不得盘算今后二十年的生活。卡佳设想，我们要这样生活：一天她向我下达指令，我来完成所有事情；第二天反过来——我下达指令，她则毫不犹豫地服从；然后，我们俩平等地相互发号施令，若是有谁故意不服从，一开始我们就吵一架，做做样子，然后设法尽快和解。总而言之，无尽的快乐在等着我们。最后，我们聊累了，我的眼睛也闭上了。卡佳嘲笑我贪睡，自己却比我先睡着了。第二天早上，我们同时醒了，匆忙地相互亲吻了一下，因为有人要进来，我赶紧跑到自己床前。

一整天我们都高兴得不知如何相处。我们总是躲起来，逃避所有的人，最害怕别人的目光。最后，我开始向她讲述自己的经历。卡佳被我的故事感动得流下了眼泪。

"真坏，你这个坏家伙！为什么你不早点儿告诉我这一切？我就会特别爱你，特别爱你！街上那些男孩打你很疼吗？"

"很疼啊。我特别怕他们！"

"哎，真可恶！知道吗，涅朵奇卡，我亲眼看见一个男孩在街上打另一个男孩。明天我就悄悄拿上法斯塔夫卡的皮鞭，要是我遇到一个这样的，我就这么抽他，这么抽他！"

她眼里闪烁着愤慨的光芒。

一有人进来我们就吓一跳，我们害怕被人撞见我们在亲吻。这天我们至少亲吻了一百次，这天和随后的一天就这样过去了。我真怕因为狂喜而死，幸福得喘不过气来。但我们的幸福持续时间并不长。

莱奥塔尔夫人必须报告公爵小姐的一举一动。她观察了我们整整三天，这三天里她积攒了很多事要讲。最后，她去找公爵夫人，把自己注意到的一切都告诉了她——我们俩都处在一种狂热之中，整整三天没离开对方，不停地亲吻、哭泣和哈哈大笑，就像疯子一样——我们像疯子似的聊个没完，这是以前没有过的，她不知该把这一切归因于什么，但她觉得，公爵小姐正处于某种病态的危机之中。最后，她觉得，我们最好少见面。

"我早想过这件事，"公爵夫人答道，"我知道这个奇怪的孤女会给我们带来麻烦。我听人讲起她的事，她以前的生活——可怕，真的太可怕了！她对卡佳明显有影响。您是说，卡佳很爱她？"

"简直忘乎所以。"

公爵夫人懊恼地脸红了，她已经因为自己的女儿而嫉妒我了。

"这不正常，"她说，"以前她们相互格格不入，应该承认，我对此倒很高兴。不管这个孤儿多小，我都不能担保不出什么事。你明白我的意思吗？她已经随着奶水吸进了她的教育、她的习惯，也许，还有规则。我不明白，公爵在她身上看到了什么？我已经说了上千次了，该送她去寄宿学校。"

莱奥塔尔夫人想为我说情，但公爵夫人已经决定把我们分开。她立即派人去找卡佳，在楼下向她宣布，她跟我在下周日之前，也就是整整一个星期不能见面。

我在夜里很晚才得知了一切，惊恐不已；我想着卡佳，觉得她受不了我们分开。我因忧愁和悲伤陷入了谵妄状态，当夜就病了。第二天早晨，公爵来看我，低声细语，让我抱有希望。公爵用尽了所有努力，但一切都是徒劳的，公爵夫人没有改变自己的意图。一点儿一点儿地，我开始变得绝望，悲伤令我心虚气短。

第三天早上，娜斯佳给我带来卡佳的便条。是卡佳用铅笔写的，字迹潦草，如下：

我非常爱你。坐在 maman 身边，我一直在想，怎么才能逃到你身边。但我会逃走的——我说过的，所以不要哭。给我写信，告诉我你有多爱我。而我一整夜都在睡梦里抱着你，太受罪了，涅朵奇卡。我给你捎去糖果。再见。

我也以这种方式回答了，我对着卡佳的便条哭了一整天。莱奥塔尔夫人以其种种爱抚折磨着我。傍晚时我得知，她去了公爵那里，说如果我见不到卡佳，肯定会第三次病倒，说她后悔对公爵夫人说的话了。我问娜斯佳，卡佳怎么样。她回答我说，卡佳没哭，但她脸色苍白得可怕。

第二天早上，娜斯佳低声对我说：

"您去公爵大人的书房吧。顺着右边的楼梯下去。"

我内心的一切都因为预感到的事情而活跃起来。期待中我气喘不已，跑下楼去，打开书房的门。她没在这儿。突然卡佳从后面抱住我，热烈地吻了吻我。笑声、眼泪……转眼间卡佳从我的怀抱中挣脱出来，爬到父亲身上，像只松鼠一样跳到他的肩头，但是没能稳住，便从那儿又跳到沙发上。公爵也随着她倒了下去。公爵小姐高兴得直哭。

"爸爸，你真是个好人，爸爸！"

"你们这两个调皮鬼！你们这是怎么回事？这叫什么友谊？什么爱？"

"闭嘴，爸爸，你不知道我俩的事。"

我们再次投入对方的怀抱。

我开始端详她：三天来她变瘦了，她脸上的红晕已经褪去，取而代之的是一抹苍白。我伤心地哭了起来。

终于，娜斯佳来敲门了。这是个信号，人们突然想起了卡佳，问她去哪儿了。卡佳面如死灰。

"够了，孩子们。每天我们都会聚一聚。再见，上帝保佑你们！"公爵说。

他望着我们俩，很受感动，但他的一番盘算挺差劲。傍晚从莫斯科传来消息，小萨沙突然病了，奄奄一息。公爵夫人决定明天就动身。这件事发生得那样快，以至于直到跟公爵小姐告别，我什么都不知道。告别还是公爵本人坚持的，公爵夫人勉强答应了。公爵小姐像丢了魂一般。我在浑然不觉间跑下楼去，扑过去搂住她的脖子。旅行马车已经在大门口等候了。卡佳喊了一声，看着我，倒在地上没了知觉。我扑过去亲吻她。公爵夫人设法让她恢复知觉。终于，她醒了过来，再次抱住了我。

"再见，涅朵奇卡！"她对我说，突然笑了，脸上带着难以言喻的表情，"你别看我，没事的，我没病，一个月后我再回来，那时我们就不会分开了。"

"够了，"公爵夫人平静地说，"我们走吧！"

但是公爵小姐再次转身回来，她抽搐般紧紧地搂着我。

"我的生命！"她匆匆低声说，拥抱着我，"再见了！"

我们最后一次相互亲吻，公爵小姐便消失了——那是很长、很长一段时间。过了八年我们才再次见面！

我有意如此详尽地讲述了我童年的这段插曲，卡佳在我生活中的第一次出现。但我们的故事是分不开的，她的罗曼司就是我的罗曼司。好像我命中注定要遇见她；好像她命中注定要找到我。而我也不能拒绝自己重温童年回忆的乐趣……现在我的故事要讲得快一些。我的生活突然陷入某种沉寂，而我就像重新苏醒过来，当我年满十六岁的时候……

但是——关于公爵一家去莫斯科后我身上发生的事情，我有几句话要说。

我跟莱奥塔尔夫人留了下来。

两周后来了位信差通报说，公爵一家回彼得堡的旅行被无限期推迟了。由于莱奥塔尔夫人因家里的情况不能前往莫斯科，她在公爵家的任职也就结束了，但她仍留在这个家庭，转而去了公爵夫人的大女儿阿列克桑德拉·米哈伊洛夫娜那里。

我还没说过阿列克桑德拉·米哈伊洛夫娜的事，我也只见过她一次。她是公爵夫人与第一任丈夫的女儿。公爵夫人的出身和血统有些昏暗不清，她的第一任丈夫是个包税商。公爵夫人再婚时，她全然不知该拿她的大女儿怎么办。她不能指望找到多么出色的婚配对象，能给她的嫁妆也在适度范围。四年前，她终于嫁给了一个富裕且有一定官阶的人。阿列克桑德拉·米哈伊洛夫娜进入了另一个社交圈，看到了她周围的另一个世界。公爵夫人每年去看她一两次；公爵，她的继父，每星期都与卡佳一起去看她。但最近公爵夫人不喜欢让卡佳去她姐姐那儿，公爵就偷偷带她去。卡佳特别喜爱姐姐，但她们的性格形成鲜明的对比。阿列克桑德拉·米哈伊洛夫娜是个二十二岁的女人，安静、温柔、充满爱意；但似乎某种深藏的悲伤、某种隐匿的心痛，无情地在她美丽的容颜上投下了阴影。严肃和冷酷与她天使般清新的容貌不太相称，如同丧服穿在小孩子身上。望着她，不可能不对她产生深深的同情。我第一次见到她时，她脸色苍白，据说还有患上肺结核的趋势。她过着与世隔绝的生活，既不喜欢在自己家聚会，也不喜欢外出见人——就像位修女。她没有孩子。我记得，有一次她来见莱奥塔尔夫人，走到我身边满怀深情地吻了吻我。跟她在一起的是个瘦削、上了年纪的男人。他看着我，流下了眼泪。这便是小提琴家 Б.。阿列克桑德拉·米哈伊洛夫娜抱住我，问我是否想在她那里生活，做她的女儿。看着她的脸，我认出这是我的卡佳的姐姐，便抱住她，心中隐隐作痛，让我的整个胸膛一阵酸楚……就像是什么人又一次在我头顶说："孤儿！"阿列克桑德拉·米哈伊洛夫娜给我看了公爵的信。信中有几行是写给我的，我无声地抽泣着读完了。公爵祝福我长命、幸福，请求我爱他的另一个女儿。卡佳也给我写了几句话。她写道，现在不能与母亲分开！

这天傍晚，我就走进了另一个家庭，另一座房子，见到新的人，又一次把心与所有令我如此愉悦、对我而言已然亲近的一切扯断联系。我饱含创痛而来，深受内心苦闷的折磨……一个新的故事从现在开始。

六

我的新生活是如此安然而平静，就像我定居在隐士们中间……我和我的抚养人一起生活了八年多，也不记得在这段时间里，除了少数几次以外，家里还举办过什么晚会、午宴或与任何亲戚、朋友及熟人的聚会。除却两三个人偶尔来访，音乐家 Б.是一家人的朋友，还有阿列克桑德拉·米哈伊洛夫娜的丈夫的那些常客，他们几乎都是来办事的，此外就没有任何人在我们的房子里出现过。阿列克桑德拉·米哈伊洛夫娜的丈夫一直忙于生意和公务，只能偶尔省出些许空闲时间，平均分配给家庭和社交生活。一些无法忽视的重要交往，使得他不得不经常在社交场合露面。几乎到处都散布着他极度贪图权势的传言；但由于他拥有为人务实而严肃的名声，由于他占据了一个非常显要的职位，运气和成功好像自己在路上等着他，公众舆论也远远没有剥夺人们对他的好感，甚至有所增加。所有人常常对他怀有一种特殊的同情，相反，这种态度却全然拒绝施与他的妻子。阿列克桑德拉·米哈伊洛夫娜生活在彻底的孤独之中，但她好像很乐意这样，她安静的性格好像是为隐居而生的。

她全心全意依恋着我，爱我就像爱自己的孩子一样，而我，与卡佳分离的泪水仍未变冷，心仍在痛，便贪婪地投入我的女恩人母亲般的怀抱。从那时起，我对她狂热的爱就从未中断过。她对我而言是母亲、姐妹、朋友，为我替代了世上的一切，养育了我的青春。况且我很快就凭着本能、凭着预感，发现她的命运完全不是那么美好，不像乍一看她那安静、尽显平和的生活，不像那表面的自由，不像根据那常常闪现在她脸上的宁静微笑而做的判断那样，而是随着我的成长，每一天都向我呈示出我的女恩人命运的一些新的，被我的心痛苦地、缓慢地猜到的东西。而我的依恋也连同悲伤的意识，越发增强和稳固了。

她的性格怯懦、软弱。看着她脸上清晰、平静的五官，乍一看不可能认为有什么惊恐会搅扰她正直的心。无法想象她会不喜爱哪个人；同情总是在她心中占上风，甚至克服了纯粹的厌恶，与此同时，她只维持着为数不多的

121

朋友，完全与世隔绝……她生性热情，感受力强，但同时又仿佛害怕自己的感受，仿佛每分钟都在监守着自己的心，不让它失去自制，甚至不可陷于幻想。有时突然间，在最晴朗的时刻，我注意到她的眼里含着泪水，仿佛不经意间对折磨她良知的某件事情的回忆在她内心燃烧起来，仿佛有什么东西在窥探着她的幸福，敌对地搅扰它。而她，似乎越是幸福，越是平静，她生命的时刻越是晴朗，愁苦就越接近，出乎意料的悲伤和眼泪就越可预期：就像她精神崩溃发作。我不记得整整八年里有哪个月份是安静的。丈夫，看来非常爱她，她也很崇拜他。但第一眼看去，他们之间似乎有什么未尽之言。她的命运中有某种秘密，至少我从最开始的那一刻就怀疑……

阿列克桑德拉·米哈伊洛夫娜的丈夫从一开始就给我留下了沉闷的印象，这种印象于童年时期生发，已经再也磨灭不掉了。从外表看他这个人又高又瘦，似乎有意用一副绿色的大眼镜遮掩自己的目光。他不善交往，枯燥乏味，甚至与妻子面对面好像也找不到话题。他，很显然，为他人所拖累。他对我也毫不在意，而期间，晚上我们三人经常聚在阿列克桑德拉·米哈伊洛夫娜的客厅里喝茶，每次有他在场，我就感到不自在。我偷偷看一眼阿列克桑德拉·米哈伊洛夫娜，悲哀地注意到，在他面前她好像全身都在发抖，好像她在思忖自己的每一个动作，看到丈夫变得特别严厉阴郁时，就脸色发白，或者突然脸红起来，好像她从丈夫的某句话中听出或猜到某种暗示。我感到，她跟他在一起很难受，可与此同时，她看上去离开他连一分钟都活不下去。我震惊于她对他的那种异乎寻常的关注，关注他的每一句话、每一个动作，仿佛她想竭尽全力在某个方面满足他，仿佛她感觉到，她无法实现自己的愿望。她仿佛在乞求他的赞许：他脸上最轻微的笑意、半句亲热的话——她都会感到幸福，就好像这是一段尚显羞涩、尚无希望的爱情的最初时刻。她把丈夫当作一个难对付的病人来照顾。当他离开，去自己的书房，与阿列克桑德拉·米哈伊洛夫娜握手之后——在我看来，他总是以一种对她而言十分难堪的同情看着她——她就完全变了，她的动作和谈话立刻变得更愉快、更自由。但每次与丈夫见面后，某种尴尬之情会在她的内心停留很久。她立即开始回想他说的每一句话，就好像在掂量他所有的话。她时常转而向我提问：

是她听到的这样吗，彼得·阿列克桑德罗维奇是这样表达的吗？——仿佛她在他所说的话中寻找其他的含义，只有大概一个小时过后，她才完全振作起来，仿佛确信他对她完全满意，她的担心完全是徒劳的。这时她就突然变得亲切、开朗、快乐，亲吻我，跟我一起说笑，或者走到钢琴前，即兴弹奏一两个小时。但时常她的快乐会突然中止，她开始哭起来。而当我看着她，满心惶惑、窘迫和惊恐时，她又马上小声向我保证——似乎害怕我们被人听见，说她流泪也没什么，她很快乐，要我不必为她难过。偶尔，丈夫不在她会突然变得焦虑不安，打听他的情况，很是担心，派人去看看他在做什么，向自己的女仆探询他为什么吩咐备马，他想去哪里，他是否生病了，是愉快还是烦闷，他说了什么，等等。关乎他生意和公务上的事情她似乎不敢自己跟他提及。当他提出什么建议或请求她什么事的时候，她是那样顺从地听他的话，那样为自己胆怯，就好像她是他的奴隶。她非常喜欢他赞美她的什么，一件什么东西，什么书，她做的什么手工活。她好像对此很虚荣，马上就高兴起来。但她高兴起来没完没了，还是当他无意中（这是很少见的）忽然想爱抚两个小孩子的时候。她的脸色变了，闪耀出幸福的光彩，在这样的时刻，她甚至会在丈夫面前过分沉溺于自己的喜悦。例如，她甚至横生出一股勇气，未经他的要求，突然自己向他提议，当然是用胆怯而颤抖的声音，要他听一听她刚得到谱子的新乐曲，或者说一说她对一本书的看法，或者甚至允许她为他读一两页那天给她留下特别印象的某个作者的文字。有时候，丈夫慷慨地满足她所有的愿望，甚至宽厚迁就地对她露出微笑，就像人们对被娇宠的孩子微笑一样，不想拒绝又一个刁钻古怪的要求，生怕过早地、敌对地扰动孩子的天真稚气。但是，不知为什么，我的内心深深地被这微笑、这傲慢的居高临下、这种他们之间的不平等搅扰了；我沉默着，克制自己，只是勤勉地观察着他们，带着孩童的好奇心，但又怀着过于早熟的严肃思考。有时我注意到，他突然之间好像不由自主地醒悟了，好像缓过神来，好像他突然通过强力并违背自己的意愿，回想起某种沉重、可怕、无法避免的事情。转瞬间，宽厚迁就的微笑从他的脸上消失了，他的眼睛突然盯着惊慌失措的妻子，其中的怜悯让我直打哆嗦。现在我意识到，如果那样对我，我一定很受折磨。

就在那一刻，喜悦从阿列克桑德拉·米哈伊洛夫娜的脸上消失了，音乐或阅读就此中断。她变得苍白，但强打精神，沉默着。不愉快的、令人苦闷的一刻随即来临，有时又持续很长时间。最后，还是丈夫终止了这局面。他从座位上站起来，好像竭力在内心扼制着恼怒和激动，阴郁地沉默着在房间里走了几个来回，握了握妻子的手，深深地叹了口气，在显而易见的尴尬中断断续续说了几句，话语中似乎流露出安慰妻子的愿望，便离开了房间，而阿列克桑德拉·米哈伊洛夫娜或是潸然落泪，或是陷入漫长而可怕的忧伤。他晚上与她告别时，经常为她祝福、画十字，就像对小孩子那样，她则带着感激的泪水，虔敬地接受他的祝福。但我无法忘记我们家里有几个夜晚（整整八年里最多不过两三次），阿列克桑德拉·米哈伊洛夫娜似乎突然完全变了样。某种怒气、某种愤懑反映在她平时安静的脸上，取代了一贯的自我贬低和对丈夫的崇敬。有时风暴酝酿了一个小时，丈夫变得沉默寡言，比平时更加严肃、更加阴郁。最后，可怜的女人那颗痛苦的心好像无法忍受了。她开始用一种因为激动而断断续续的声音说话，一开始磕磕绊绊、互不连贯，充满了某种暗示和痛苦的吞吞吐吐；然后，好像她无法忍受自己的愁闷，突然以眼泪、啜泣来了结；接着是愤怒、责备、抱怨、绝望的爆发——好像她陷入一场病态的危机。这时就要看到，丈夫以怎样的耐心来忍受这个，以怎样的同情心劝说她平静下来、亲吻她的手，甚至，最后开始跟她一起哭泣，然后她突然好像缓过神来，好像她的良心在向她呼喊，揭穿罪行。丈夫的眼泪震撼了她，她绝望地拧着双手，抽噎哭泣，在他脚边乞求原谅，她也即刻得到了原谅。但她良心的痛苦、眼泪和请求宽恕还是持续了很久，而她整整好几个月在他面前变得更加胆怯，更加战战兢兢。我完全无法明白这些责备和非难是怎么回事，这种时候我就被带出房间，也总是很难为情。但要彻底避开我是办不到的。我观察、发现、猜测着，从一开始我就暗暗怀疑这一切的背后有什么秘密，这一次次受伤的心突然爆发不是简单的神经性的危机，丈夫总是皱着眉头不无原因，他对可怜的、患病的妻子那种似乎含混着轻慢的同情不无原因，她在他面前常有的胆怯、战栗和这恭顺、奇怪，甚至不敢在丈夫面前表示出来的爱不无原因，这种孤绝，这种修道院般的生活，丈夫在场时她脸上突然现出的这种红晕和死人般的苍白也不无原因。

但她与丈夫之间的这类情形很是罕见，我们的生活也非常单调，我已经过于接近地端详过它。而且，因为我发育成长得非常快，很多新的东西开始在我身上觉醒，尽管是无意识的，但转移了我在观察上的注意力，而我最终也习惯了这种生活，习惯了这种俗常和我周围的人。我，当然，看着阿列克桑德拉·米哈伊洛夫娜，有时无法不陷入沉思，但我的思考暂时没有任何结果。我非常爱她，尊重她的忧戚，因此害怕以自己的好奇搅扰她动辄悬起的心。她理解我，不知多少次准备感谢我对她的依恋！她注意到我的关心，经常含着泪水露出微笑，嘲笑自己动不动就流泪；时而又突然开始跟我讲，她很满足，很幸福，说每个人都对她那样好，所有她认识的人至今那样爱她；说她很痛苦，因为彼得·阿列克桑德罗维奇总是为她、为她内心的平静而发愁，而她，正相反，是那样幸福，那样幸福！……接着她便怀着那样深的感情拥抱我，她脸上闪耀着那样的爱意，以至于我的心，如果可以言说的话，由于对她的同情而倍感痛楚。

她的面容从未在我的记忆中湮灭。她的五官十分周正，而瘦弱和苍白似乎更加提升了她美貌的端庄魅力。最为浓密的黑发梳理得平顺向下，在脸颊的边沿投下生硬、明晰的阴影，但是这样一来，所形成的反差让人惊讶地觉得更为可爱，对照她那温柔的目光，那大大的孩童般清澈的蓝眼睛，那胆怯的微笑和整个温柔、苍白的脸，那上面有时反映出那么多的天真、胆怯，仿佛未加防范的东西，似乎为每一种感觉、心的每一次冲动而害怕——也害怕瞬间的喜悦，害怕常有的沉静的忧伤。但在另一个幸福、安宁的时刻，在那洞彻内心的目光中有那么多如同白昼的清晰与明亮，那么多的正直与平静；那双眼睛，蓝得像天空一样，闪耀着那样的爱意，那样甜美地望着，眼里总是反映出对一切高贵的东西，对请求爱、乞盼怜悯的一切的深深同情——以至于整个灵魂都屈服于她，不由自主地向往她，似乎，是从她那里接受了这种清晰，这种精神的平静，还有和解，还有爱。有时你望着蓝天，觉得已经

125

准备好整整几小时在甜蜜的沉思中流连，而在这些时刻，心灵变得更加自由，更加平静，就像在它那里，如同在一片静静的水面那样，反映出雄伟的天穹。每当——这种情况经常发生——内心的振奋在她脸上激起一片红晕，她的胸膛因激动起伏不定，此时她的双眼如雷电一般闪光，好像迸发出了火花，好像她的整个心灵，曾圣洁地保全了如今在鼓舞着她的美的纯净火焰，现在迁居到了这双眼睛里。在这些时刻，她就像充满了灵感，热情洋溢。在这种突然的激情阵发中，在从一种安静、胆怯的心境到豁然开朗、高度振奋，到纯粹、严整的热情的过渡中，伴随着那么多纯真的、孩子式的冲动，那么多幼稚的信念，以至于一位画家会付出半生的时间，去观察这样一个明亮的狂喜时刻，将这热情振奋的面孔搬上画布。

从我在这个家住下的最初时日起，我就看出，她于自身的孤独之中，甚至因为我而高兴。那时她身边还只有一个孩子，只做了一年的母亲。但我完全成了她的女儿，把我和她自己的孩子区分开是她无法做到的。她带着那样一股热情着手养育我！一开始她是那样着急，以至于莱奥塔尔夫人望着她不由得笑了起来。事实上，我们是突然间什么都做起来，弄得我们不理解对方。例如，她开始亲自教给我特别多的东西，到头来从她那一方显露出过多的激情、过多的热忱，加上出于爱心的急躁，超过了对我真正有益的界限。起初她很伤心自己不会做事；但是，笑过之后，我们重新干了起来，尽管阿列克桑德拉·米哈伊洛夫娜在第一次挫折后，勇敢地宣示自己反对莱奥塔尔夫人的方法。她们笑着争吵起来，但我的新教师断然宣示自己反对任何方法，坚持说我和她会摸索着找出真正的路，用不着往我脑袋里填塞干巴巴的知识，整个成功取决于了解我的本能和掌握激发我内心良善的意志——她是对的，因为她完全取得了胜利。首先，学生和导师的角色从一开始就完全消失了。我们像两个朋友一样学习，有时情形就像我在教阿列克桑德拉·米哈伊洛夫娜，以至于没能发现其中的狡猾手段。就这样，我们之间经常产生争论，而我竭力发起急来，证明我是如何理解事物的，于是阿列克桑德拉·米哈伊洛夫娜就不知不觉把我引入正途。但最后的结果是，当我们弄清道理时，我立刻猜到了，便揭穿了阿列克桑德拉·米哈伊洛夫娜的诡计，掂量着她为我付出的所有努力以及常常为使我获益牺牲掉的好多个小时，我在每次课后都朝她扑过去紧紧搂住她的脖子。我的敏感震惊，触动了她，她对此感到困惑不解。她开始好奇地询问我的过去，而每次在我讲述后她都会对我更温柔，更严肃——说更严肃，是因为我，以自己不幸的童年，唤起了她的同情，似乎还伴随着某种尊重。在我倾诉之后，我们通常要进行一番长谈，她又向我解释我的过去，以至于我真觉得我好像重新经历了一遍，重新学到了很多东西。莱奥塔尔夫人经常觉得这类谈话太过严肃，而且，见我不由自主地流下眼泪，她觉得这完全不适当。可我认为恰恰相反，因为上了这些课之后，我感觉那样轻松和甜蜜，就好像我的命运中没有过任何不幸。更重要的是，我非常感激阿列克桑德拉·米哈伊洛夫娜，因为她使我一天比一天更爱自己。莱奥塔尔夫人想不到，正是因为这样，以前在我心灵中不正确地、过早地、狂暴地涌起的一切才一点儿一点儿变得平衡并达到了严整的和谐，她也想不到我童稚的心到了何种地步，处处溃烂，带着难以忍受的疼痛，以致它不公正地变得残忍无情，哭诉这阵阵痛楚，不知打击从何而来。

　　一天伊始，我们俩相聚在她孩子的育儿室，叫醒他，给他穿衣服，收拾好，喂他，哄他，教他说话。最后，我们离开孩子，坐下干自己的事。我们学了很多东西，但上帝知道这是什么学问，里面什么都有可又没有任何确定的东西。我们读书，互相讲述自己的印象，抛下书本转向音乐，几小时就不知不觉飞走了。晚上，Б.经常来，他是阿列克桑德拉·米哈伊洛夫娜的朋友，莱奥塔尔夫人也来。我们经常开始最激烈、最热切的谈话，谈艺术，谈我们在圈子里耳闻的生活，谈现实、理想、过去和未来，我们一直坐到午夜以后。我竭尽全力地听着，与其他人一道热情燃烧，一道说笑或感受触动，也正是这样，我了解到有关我父亲和我童年时的所有详情。与此同时，我也在成长。他们为我雇请了教师，没有阿列克桑德拉·米哈伊洛夫娜，我从他们那里就什么都学不到。跟地理老师在一起时，他让我在地图上找城市和河流，我简直是个瞎子。而跟着阿列克桑德拉·米哈伊洛夫娜一起时，我们就像是开赴那样的旅行，去过那样的国家，看到那么多奇景，经历过那么多的欣喜、那么多奇妙的时刻，彼此的热忱那么强烈，以至于她读的书最后完全不够用了：我们不得不开始读新书。很快，我就能自己指给我的地理老师看了，尽管必须为他说句公道话，在对某个城市的经纬度、其中几千几百甚至几十个居民的全面而准确的认识上，他最终保持了自己的优势。历史老师得到的薪金也特别好；但是，等他离开后，我就跟阿列克桑德拉·米哈伊洛夫娜用自己的方式学习历史：我们拿起书本，有时会读到深夜，或者更确切地说，是阿列克桑德拉·米哈伊洛夫娜在读，因为是她掌握字句的审查。这种阅读之后，我体会到从未有过的兴奋。我们两人都充满生气，就像自己成了主人公。当然，从字里行间读到的比字行里写的更多。除此之外，阿列克桑德拉·米哈伊洛夫娜讲得也很出色，就像我们读到的一切都是她身上发生的一样。但就这样吧，哪怕很可笑呢，我们激情燃烧，一直待到午夜以后，我——一个小孩子，她——一颗受尽伤害的心，曾那样痛苦地忍受着生活！我知道，她就像在我身边休息。我记得，有时候当我望着她，奇怪地陷入沉思，猜想着；而在我真正开始生活之前，我已经猜想到了生活中的许许多多。

终于我满十三岁了。与此同时，阿列克桑德拉·米哈伊洛夫娜的健康状况越来越差。她变得更易受刺激，她那种绝望的悲伤越来越剧烈，丈夫的探访开始变得频繁，他陪她坐着，当然，像先前那样，几乎沉默不语，冷淡而阴郁，坐的时间也越来越长。她的命运更强有力地占据着我的心。我的童年快要结束了，在我内心也形成了许多新的印象、观感、爱好、猜想；很明显，这个家庭中存在的谜开始越发折磨着我。曾经有些时刻，我觉得，自己对这个谜有所了解。有些时候我又会陷入漠然、冷淡甚至烦恼，也就忘了自己的好奇，也没找到任何问题的答案。时常——这种情况越来越多了——我体会到一种奇怪的需求，只想一个人思考，思考一切：我现在很像我还跟父母住在一起那会儿，当时，一开始，在与父亲聚在一起之前，我一整年都在想、在推测，从自己的角落详察神之尘世，以至于最后在由我创造的离奇的鬼魂之间变得孤僻。不同之处在于，现在有更多的焦急，更多的苦闷，更多新的、无意识的冲动，更多对行动、对拔升的渴望，以致我无法像以前那样，专注于一件事。就她那边而论，阿列克桑德拉·米哈伊洛夫娜似乎主动疏远我。在这个年龄我已几乎不能再做她的朋友了。我不是小孩子，我对许多事情问得过多，有时还会那样看着她，以至于她只得在我面前垂下眼睛。也有过一些奇怪的时刻。我受不了看见她流泪，望着她，泪水常在我眼眶里积聚。我扑过去搂住她的脖子，热情地拥抱她。她又能回答我什么呢？我感觉到自己成了她的负担。但在别的时刻——这也是艰难、悲伤的时刻——她自己，好像处在某种绝望之中，抽搐着拥抱我，好像她在寻求我的同情，好像她无法忍受自己的孤独，好像我已经理解她，好像我们一起受苦。但我们之间仍然存有一个秘密，这是显而易见的，而我自己也开始在这些时刻疏远她。我跟她在一起时很难受。再说，把我们联系起来的东西很少，只有音乐。但医生们开始禁止她碰音乐。那书籍呢？这是最为困难的。她完全不知该怎么和我一起读书。我们，当然了，在第一页就会停下来：每个字都可能是一个暗示，每个微不足道的短语——都是一个谜。两人之间那种热烈、倾心的交谈，是我们双双都在逃避的事情。

而就在这时，命运突然出乎意料地以极为奇怪的方式扭转了我的生活。我的注意力，我的感觉、心、头脑——全都一下子，以一种猛烈的力量，甚至到了激情的地步，突然转向了另一种相当意外的活动。而我自己，没能留意，就被整个带入一个新的世界，我都没工夫转身，环顾四周，反省片刻。我可能会灭亡，甚至感觉到了这一点；但诱惑比恐惧更强烈，于是我闭着眼睛凭侥幸走去。很长时间我脱离了那种现实，它是那样开始令我苦恼，我在其中曾那样贪婪而徒劳地寻找出路。下面就是这件事及其经过。

餐室有三个出口：一个通向几个大房间，另一个通向我的房间和育儿室，第三个通向图书室。图书室还有一个通道，它与我的房间只隔着一个书房，这里通常安置着彼得·阿列克桑德罗维奇的事务助理，他的缮写员、他的帮手，也曾是他的秘书和代理人，橱柜和图书室的钥匙就放在他那儿。有一次，午饭后他不在家时，我在地板上发现了这把钥匙。我受好奇心的驱使，带着这份捡拾物走进了图书室。这是一个相当大的房间，很是明亮，四周摆着八个大柜子，装满了书。书非常多，其中大部分是彼得·阿列克桑德罗维奇以某种方式继承的。另一部分是由阿列克桑德拉·米哈伊洛夫娜收集来的，她不停地买书。在这之前，给我读的书都经过了深思熟虑，以至于我不难猜到，有很多都是禁止我读的，很多对我来说都是秘密。这就是为何我怀着无法抑制的好奇，在一阵恐惧和喜悦以及某种特殊的、无法解释的情绪中，打开了第一个柜子，拿出了第一本书。这个柜子里都是小说。我拿了其中一本，关上柜子，把书带回自己的房间，怀着那样一种奇怪的感觉，心是那样狂跳而悸动，仿佛预感到我的生活中即将发生巨大的转变。回到自己的房间，我锁好门，翻开这本小说。但我还不能读它，我另有一件心事，首先我要牢牢而彻底地确定自己对图书室的占有，不让任何人知道，以便有可能把任何书在任何时候留在我身边。我把书送了回去，把钥匙藏在自己身边，我宁可把这份享乐留到更适当的时刻。这是我人生中做的第一件坏事。我等待着种种后果，结果极其完满：彼得·阿列克桑德罗维奇的秘书和助手，点着蜡烛在地板上找了一整晚和大半夜，决定早上叫来锁匠，从他带来的那串钥匙里配了一把新的。事情就这样结束了，谁都没再听到丢钥匙的事。我的行动是如此小心和狡猾，直到一个星期后我才去图书室，确信绝对安全，不会引起任何怀疑。起初我挑秘书不在家的时候，后来我就从餐室进去，因为彼得·阿列克桑德罗维奇的文牍员只是口袋里有把钥匙而已，他从来没有跟书籍发生过进一步的关系，所以甚至没进过它们所在的房间。

我开始贪婪地读起来，很快阅读就完全吸引了我。我所有新的需求，不久之前的所有渴望，我青春期所有的仍然模糊着的冲动，在我心灵中是那样不安而叛逆地造了反，这些皆是我过早地成长的迫不及待引发的，所有这一切突然久久地偏向另一个、出乎意料呈现着的结局，就像完全满足于新的食物，就像为自己找到了正确的道路。很快我的心和头脑便如此痴迷，我的想象发展得如此宽广，以至于我似乎已经忘掉迄今围着我的整个世界。看起来，命运本身在我那样竭力向往、日夜玄想的新生活的门槛上拦住我。而且，在放我进入一条未知的道路之前，它把我带到高处，以神奇的全景，以动人的辉煌视角向我展现未来。我注定要经历这整个未来，首先从书中读出它，在梦想中，在希望中，在激情的冲动中，在年轻精神的甜蜜兴奋中去体验。我开始不加选择地阅读，从第一本弄到手的书开始，但命运保护了我：迄今为止我学到和经受的东西是如此高贵，如此严格，以至于如今我已无法被任何诡诈、不洁的书页所诱骗。我孩童的本能、过小的年纪和我所有的过去保护着我。现在，意识好像突然为我照亮了我过去的全部生活。的确，我读过的几乎每一页好像都很熟悉，好像早就经历过，就好像以如此意想不到的形式、在如此神奇的画幅中呈现在我面前的这全部的激情，这全部的生活，都已由我经历过了。而我怎能不受到吸引以至于忘掉当前，几乎到了疏远现实的地步呢，因为我面前的每本书都体现了同样的命运法则、同样的冒险精神，它主宰着人的生活，但它的来源是人类生活的某些基本法则，这是拯救、保护和幸福的条件。正是这条法则，为我所怀疑，我也竭尽全力，用几乎是被某种自我保全的感觉在我内心激起的所有本能来猜想。我就好像被预先通知过，好像有人警告了我。就好像有什么东西预见性地挤入我的心灵，我内心的希望一天天坚实起来，尽管与此同时我对这未来、对这生活的冲动越来越强烈，这种生活每天都在我读过的东西中以全部的力量，以特有的艺术，以诗意的全部魅力震慑着我。但是，正如我已经说过的，我的幻想远远主宰了我的急躁情绪。而我，说实话，只是敢于梦想，而实际上面对未来我本能地胆怯了。因此，就像预先同自己商议了一样，我无意识地决定暂时满足于幻想的世界、遐想的世界，其中只有我一个主宰，在这个世界里，只有诱惑，只有快乐，而不幸本身，如果容许有的话，扮演的也是一个被动的角色，一个过渡的角色，一个为种种甜蜜的对比、为我头脑里令人狂喜的小说中命运意外转向幸福结局所必需的角色。现在，我就是这样理解我当时心情的。

这样的生活，幻想的生活，与我周围的一切断然疏离的生活，竟可以持续整整三年！

这种生活是我的秘密，整整三年后我仍然不知道，我是不是害怕它突然被披露出来。我在这三年里所经历的对我来说太亲密，太切近了。在所有这些幻想中过于强烈地反映出了我自己，以至于到最后，我会因为他人的目光而感到尴尬和害怕，无论那是谁，都会无意中窥见我的灵魂。此外，我们所有人，我们全家，都生活得如此隔绝，如此脱离社会，在这种修道院式的寂静中，以至于我们每个人的内心不由得发展出对自己的专注，某种自我监禁的需要。同样的情形在我身上也发生了。在这三年里我周围什么都没改变，一切还是从前那样。一种沉闷的单调仍像从前那样笼罩在我们之间，现在想来，如果我不是沉迷于自己的秘密活动，这种单调会让我的灵魂痛苦不堪，把我从这个萎靡、沉闷的圈子投向未知而骚动不安的结局，那结局，也许将是毁灭性的。莱奥塔尔夫人老了，几乎完全把自己关在房间里；孩子们还太小，Б.过于单调乏味，阿列克桑德拉·米哈伊洛夫娜的丈夫——还是那样阴沉，那样难以接近，那样自我封闭，就像从前那样。他和妻子之间的关系仍旧神秘莫测，这种关系开始以越来越令人生畏的严峻样貌呈现在我面前，我越来越替阿列克桑德拉·米哈伊洛夫娜害怕。她的生活，沉闷、缺乏色彩，明显在我眼里暗淡下去。她的健康变得几乎一天比一天差，仿佛某种绝望终于进入了她的心灵。很显然，她处在某种未知的、无法确定的重压之下，对此她自己也无法给出答案，是某种可怕的、与此同时她自己也无法理解的东西，但她把它当作自己命定生活的不可避免的十字架承担下来。终于，在这沉闷无声的苦难中，她的心变得残酷无情，甚至她的心智也转到了另一个方向，黑暗、悲伤的方向。特别令我震惊的是，在我看来，我的年龄越是增长，她似乎就越是疏远我，以致她对我的遮遮掩掩甚至转变为某种不耐烦的恼怒。看上去，她有些时候甚至不喜欢我，好像我在妨碍她。我说了，我开始有意躲着她，而一旦躲避，我就好像染上了她性格中的神秘特质。这就是为什么，我在这三年中生活的一切，在我的心灵、梦想、认识、希望和充满激情的狂喜中形成的一切——所有这些都顽固地留在我心里。一旦彼此躲藏，我们就再也没有聚在一起，尽管在我看来，我每天都比前一天更加爱她。没有泪水相伴，现在我就无法回忆她对我的依恋到了何种程度，她在自己心里做了何种程度的保证，要把它所包含的所有爱的宝藏挥洒在我身上，一直履行她的誓言——做我的母亲。诚然，自己的悲伤有时会让她很长时间地丢下我，她似乎把我忘了，何况我也尽量不提醒她想起我，就这样，我的十六岁到来时，似乎谁都没有注意到。但在有所意识、目光更为清晰地环顾四周的时刻，阿列克桑德拉·米哈伊洛夫娜突然开始为我担忧，她不耐烦地把我从我房间里、从功课和作业中叫到她那儿，向我抛来一个个问题，好像在测试我、探询我，整天不再跟我分开，猜测我的所有动机、所有愿望，显然关心起我的年龄，关心我现在的时时刻刻，关心未来，怀着不竭的爱，怀着某种虔敬准备帮助我。但她已经非常不习惯我，因此有时做事过于天真，以至于这一切对我来说太清楚、太明显了。例如，有件事发生在我已经十六岁的时候，她，翻遍我的书，问我在读什么，在发现我还没走出十二岁的儿童读物时，好像突然吓坏了。我猜到是怎么回事，便密切关注着她。整整两个星期她好像在训练我、测试我，察明我的发展程度和我的需求程度。最后她做了决定，于是我的桌子上出现了沃尔特·司各特的《艾凡赫》，这本书我很久以前就读过了，而且至少读过三遍。起初她怀着胆怯的期待留意我的感想，似乎在权衡它们，好像害怕它们似的；最后，我们之间那种让我觉得过于明显的紧绷感消失了，我们两人心火燃烧，而我是那样、那样高兴，因为我可以不必在她面前躲躲藏藏了！当我们读完小说，她因为我而欣喜若狂。在我们的阅读当中，我的每一句评语都是对的，每个感想都是正确的。在她眼里，我已经发展得太远了。她惊讶于此，因我而狂喜，她高兴地再次着手关注我的教育，她再也不想与我分开，但这不取决于她的意志。命运很快又把我们分开，妨碍我们接近。第一次发病就足够做到这一点了，那是她恒久悲伤的发作，随之而来的又是疏远、秘密、不信任，也许，甚至是残忍无情。

但在这样的时候，偶尔也有我们不能控制的片刻。阅读、交谈几个可爱的词语、音乐——就会让我们忘乎所以，久久畅言，甚至有时还超出了限度，此后我们难以面对彼此。醒悟过后，我们像受了惊吓一样看着对方，怀着疑虑重重的好奇心，怀着不信任。我们每人都有自己的界限，我们的相互接近会走向它，但就算我们想越过我们也不敢。

一天傍晚，在黄昏之后，我漫不经心地在阿列克桑德拉·米哈伊洛夫娜的书房里读书。她坐在钢琴前，即兴变奏她最喜欢的一个意大利音乐的主题。当她最终转入咏叹调的纯正旋律时，我已然被深深浸润我心的音乐迷住，开始胆怯地暗自轻声吟唱这个主题。很快我就完全沉醉其中，站起来，走到钢琴前。阿列克桑德拉·米哈伊洛夫娜，就像猜中了我的心思，转入了伴奏，怀着爱意紧跟我嗓音的每个音符。看来，她惊讶于我的丰富音色。我以前从未在她面前唱过歌，自己也不知道我是不是这块材料。现在我们两个突然受到了鼓舞。我越发提高嗓音，在我内心焕发了能量、激情，我被阿列克桑德拉·米哈伊洛夫娜更加快乐的惊讶所点燃，那是我在她伴奏的每个节拍中都感受到的。最后，歌唱结束得那样成功，那样令人振奋，那样具有活力，以至于她欣喜若狂地抓住我的手，高兴地看着我。

"安涅塔！你的嗓子非常美，"她说，"我的上帝，我怎么没注意到呢！"

"我自己也刚注意到。"我回答，高兴得不能自己。

"上帝保佑你，我亲爱的宝贝！感谢上帝给你这份天赋吧。谁知道……啊，我的上帝，我的上帝！"

她是那样为这一意外发现所感动，处于那样狂热的喜悦中，以至于她不知该对我说什么、如何疼爱我了。这是彼此理解、喜爱、接近的那种时刻之一，我们之间很久都没有这样了。一个小时后，好像节日降临在家里。她即刻派了人去请 Б.。在等待他的时候，我们碰运气地翻开我更熟悉的另一首曲子，开始了新的咏叹调。这一次我胆怯得直发抖，我不想因为失败而破坏第一印象。但很快我的嗓音便鼓励和支援我了。我自己越来越惊讶于它的力量，再度尝试打消了所有怀疑。在急不可待的欣悦中，阿列克桑德拉·米哈伊洛夫娜派人叫来孩子们，甚至叫来孩子的保姆。最后，她完全着了迷，甚至去丈夫那里把他从书房叫出来，换了别的时候，这种事她连想都不敢想。彼得·阿列克桑德罗维奇关切地听取了这一消息，向我表示祝贺，亲自第一个宣布应该教我。阿列克桑德拉·米哈伊洛夫娜，因感激而十分幸福，好像这是为她做了多么大的好事，她奔向前去亲吻丈夫的双手。最后，Б.出现了。老人很高兴。他非常爱我，回忆起我的父亲，回忆起过去的事，当我在他面前唱了两三首后，他以严肃、忧虑的神态，甚至带有某种神秘感，宣布说毫无疑问我是块材料，甚至可能是天才，不教我是不可能的。然后，好像经过一番考虑后，他与阿列克桑德拉·米哈伊洛夫娜两人都认为，一开始就过分赞扬我是危险的，我也注意到，他们立刻交换了眼神，暗中达成协议，而他们对我的阴谋实际上非常天真和笨拙。我暗暗笑了一整个晚上，看得出来，在一首新歌之后，他们竭力克制自己，甚至故意大声指出我的缺点。但他们并没有撑得太久，第一个改变的是 Б.，他再次兴奋得动了感情。我从未想过他是这样爱我。整个晚上都持续着最友好、最热烈的交谈。Б.讲了几位著名歌唱家和演奏家的生平，怀着一位艺术家的欣喜和崇敬之情，深受触动。然后，谈及我的父亲，话题转向了我、我的童年、公爵，转向公爵的整个家庭——自从分离以来，我很少听到过他们的消息。阿列克桑德拉·米哈伊洛夫娜本人也知之不多。Б.最为知情，因为他不止一次去过莫斯科。但说到此处，谈话转入了某种让我觉得神秘莫测的方向，有两三个地方，特别是关于公爵的，对我来说完全无法理解。阿列克桑德拉·米哈伊洛夫娜说起卡佳，但有关她的情况 Б.说不出什么特别的，似乎也想对此保持沉默。这让我深感惊讶。我不仅没有忘记卡佳，不仅我内心先前对她的爱没有淡漠，甚至相反，我一次都没有想过卡佳会有什么变化。迄今为止，一直为我的注意力所忽视的是分离，是各自度过的漫长岁月——其间我们没有向对方传达任何有关自己的消息，教养的差异，以及我们性格的差异。最后，卡佳在精神上从未离开过我：就好像她仍然和我生活在一起，特别是在我所有的梦想中，在我所有构想的小说和虚幻离奇的冒险中，我总是与她携手并进。我把自己想象为我所读过的每部小说的女主角，随即将我这位公爵小姐朋友安插在自己身边，将小说分成两部分，其中一部分当然是由我创造的，尽管我毫不留情地劫掠了我所喜爱的那些作者。最后，在我们的家庭会议上决定给我请一位歌唱老师。Б.推荐了最有名也是最好的一位。第二天，我们这儿就来了一位意大利人 Д.，他听了我的歌唱，重复了他的朋友 Б.的意见，但立即宣布，我和他的其他几个女学生一起学习会大有益处，有助于我的嗓音发展成熟，有竞争，易于模仿接受，而且在那儿所有条件都很丰富，样样触手可及。阿列克桑德拉·米哈伊洛夫娜同意了；于是从那时起，我每周三次一早出发，八点钟，在一个女仆的陪伴下去音乐学院。

现在我要讲述一次奇怪的历险，它对我有着过于强烈的影响，以骤然的转变开始了我内心的一个新时期。当时我已年满十六岁，与此同时，我的心灵中突然出现了某种无法理解的漠然——某种我自己也无法理解的、难忍而愁苦的沉寂，降临在我身上。我所有的幻梦，我所有的冲动突然沉默了，连爱幻想本身都好像因为虚弱无力而消失了，冰冷的淡漠取代了先前缺乏经验的心灵激情。甚至我的天分，受到所有我爱的人的认可，当时是那样欣喜，如今也失去了我的好感，我无情地忽视了它。什么都不能让我开心，甚至对阿列克桑德拉·米哈伊洛夫娜，我也感到某种冷冷的淡漠，为此我指责自己，因为我不能不承认这一点。我的漠然会被不知不觉的悲伤，被突如其来的泪水打断。我寻求幽居独处。在这奇怪的时刻，一个奇怪的事件彻底撼动了我的整个心灵，将这沉寂转变为真正的风暴。我的心受了伤……下面说说事情是如何发生的。

七

　　我走进图书室（这将是我永远难忘的时刻），拿起沃尔特·司各特的小说《圣罗南之泉》，这是唯一我还没有读过的。我记得，揪心、空洞的愁烦折磨着我，就好像是某种预感。我直想哭。夕阳最后一缕斜晖，浓烈地洒在高窗内闪闪发亮的镶木地板上，明晃晃地照耀着房间，周遭很安静，隔壁几个房间也空无一人。彼得·阿列克桑德罗维奇不在家，阿列克桑德拉·米哈伊洛夫娜病了，躺在床上。我真的哭了，打开第二部，漫无目的地翻阅着，试图从在我眼前闪过的零碎短语中找到某种意义。我就像在占卜，就像人们随意打开一本书推算吉凶。常有那样的时刻，所有心智和精神的力量痛苦地绷紧，似乎突然会爆发出意识的明亮火焰，而在这一瞬间，被撼动的心灵梦见某种预言性的东西，好像心灵苦于未来预感的折磨，提前体会着它。整个身体是那样渴望生活，那样恳求着生活，燃起最热烈、最盲目的希望之火，心就好像在召唤着未来，连同它的全部神秘、全部不确定性，哪怕带着风暴、带着雷电，但一定要有生活。我的那一刻正是如此。

　　记得我合上了书，正是为了以后随意打开，读一读我眼前展开的那一页，占卜我的未来。但是，当我打开它时，我看到一张写了字的信纸，折叠成四分之一大小，那样平整，那样贴合，就好像它已经在书中夹了好几年，被忘在书里了。带着极大的好奇心，我开始查看自己的新发现。这是一封信，没有地址，有"C.O."这两个字母的签名。我的注意力提升了一倍。我展开几乎粘在一起的纸，由于长时间夹在书页间，以至于在那儿留下一块同等大小的浅淡印记。信的褶皱处已经磨损、破烂，很明显，它时常被拿出来反复阅读，就像宝石一样受到珍视。墨水已经发蓝、褪色——它写下已经很久了！几个字句偶然投入我的眼帘，我的心因期待而怦怦直跳。我惊慌地翻着手中的信，好像故意拖延阅读它的那一刻。偶然间我把它拿到光线下：真的！字行里有干涸的泪滴，污渍还留在纸上，某些地方，整个字母都被眼泪冲掉了。这是谁的眼泪？最后，耐不住期待的阵阵心悸，我读完第一面的一半，一声惊讶的叫喊从我的胸膛迸发出来。我锁上柜子，把书放在原处，然后，在三角头巾下面藏了信，跑回自己的房间，锁上门，又从头开始读。但我的心那样猛烈撞击着，以至于词句和字母在我眼前又闪又跳。很长一段时间我什么都没读懂。信里暴露了一个真相，一个谜的开端——它像闪电一样震惊了我，因为我知道了它是写给谁的。我知道，读罢这封信，我几乎是犯了罪；但这一刻比我强大有力！信是写给阿列克桑德拉·米哈伊洛夫娜的。

下面就是这封信，我把它引用在此。我隐隐约约明白里面的意思，继而这谜底和沉重的思绪很久都没有离我而去。从那一刻起，我的生活似乎发生了扭转。我的心久久地受到惊慌和搅扰，几乎永无休止，因为这封信的背后引发出很多事情。我对未来的占卜应验了。

这是一封告别信，是最后一封，也是可怕的信。当我读到它的时候，我感觉到心那样痛苦地缩紧，就像我自己失去了一切，好像一切都被永久地从我身边夺走，甚至包括梦想和希望，好像什么都没有留下，除了不再需要的生活。他是谁，是谁写了这封信？后来她的生活又是怎样的？信中有那么多暗示、那么多根据，以至于不可能出错；可又有那么多的谜，以至于不可能不在种种假设中迷失。但我几乎没有弄错。此外，信的措辞也暗示了许多事情，暗示了这种关系的全部性质，两颗心因此而破裂。书写者的思想、情感都表露在外。它们太特别了，正如我所说的，暗示了太多的推测。下面就是这封信，我把它逐字逐句地抄写下来：

你说，你不会忘记我——我相信，从今以后我的全部生命都在你的这句话里了。我们必须分开，这一时刻已经到来！我很早就知道会这样，我恬静、忧伤的美人，但直到现在我才明白。在我们的所有时间里，在你爱我的所有时间里，我的心为我们的爱而酸楚、疼痛，可你相信吗？现在我还轻松些！我早就知道会有这样的结局，这是在我们之前便注定了的！这就是命运！听我说，阿列克桑德拉：我们不相称；我一直、一直觉得如此！我配不上你，而我，只是我一人，不得不为我过往的幸福承担惩罚！你说说，在你了解我之前，我在你面前是什么？上帝啊，已经过去了两年，可我至今仍然好像神魂颠倒一般；我至今无法理解，你竟然爱上了我。我不明白，我们是如何走到那个起点的。你还记得，我跟你相比是什么样子？我哪里配得上你，我以何取胜，我又有什么特别之处呢！在遇见你之前，我粗俗、简单，我的外表

139

落寞而阴沉。我不期望另一种生活，没有想过它，没有召唤它，也不想唤来它。我内心的一切都像受着压制，我不知道世界上有什么比我平凡而定期的工作更加重要。我所关心的只是——明天，而对这个我也很是漠然。以前，说来是很久的事了，我梦想过这类事情，像个愚笨的人一样渴望过。但从那时起过了很长很长时间，我开始孤独地生活，严酷、平静，甚至没感觉到冻僵我内心的寒冷。它睡着了。我是知道并且认定，永远不会另有个太阳为我升起的，我相信这一点，也什么都不抱怨，因为我知道注定要这样。当你从我身边经过，我都不明白，我可以大胆向你抬起眼睛。在你面前我就像个奴隶。我的心在你身旁没有瑟瑟发抖，不感酸楚，没有向我预断有关你的事情：它很平静。我的心灵未曾与你的心灵相结识，尽管它在自己美丽的姐妹身边倍感明亮。我知道这一点，我隐隐感觉到这一点。我能感觉到，因为最下面的一片草茎也照耀着上帝的霞光，它温暖、爱抚着它，就像对待小草旁驯顺地苟且偷安的繁茂花朵一样。当我知道一切时——记得吗，在那一晚之后，在那些彻底震撼了我的心灵的话语之后——我眼花缭乱，惊愕不已，一切在我内心混淆起来，你知道吗？我是那样惊愕，那样不相信自己，以至于都没能理解你！这件事我从未对你说过。你什么都不知道，我以前不是你遇见我时的样子。如果我可以，如果我敢于说话，我早就向你坦白一切了。但我沉默着，而现在我要全都说出来，就因为让你知道，你现在要离开谁，你要和什么人分开！知道我一开始是如何理解你的吗？如火的激情攫住了我，像毒一样，流入我的血液，它搅乱了我所有的思想和感情，我醉了，我像昏了头一般，回应你纯洁的、富有同情心的爱，不是以平等相待的态度，不是如你纯洁的爱应当应分的那样，而是没有意识，没有心。我没有认识你。我回应你，是把你当成，在我看来，一个忘却自身俯就我的人，而不是一个想要提升我接近自己的人。你知道，我怀疑你什么吗？你知道，忘却自身俯就我，意味着什么？但是，不，我不会拿我的自我坦承伤害你，我只对你说一件事：你错认了我，错得好苦！我永远、永远都不会上升到接近你。我也只能在自己无边的爱中遥不可及地思索你，那时我已理解了你，但我也没有因此而减轻自己的过失。我那被你提升的激情，不是爱——我害怕爱，我也不敢爱上你。在爱情中——有相互性，有平等，而我不配拥有这些……我不知道我是怎么回事！哦！我该怎么跟你说清这一点，怎么才能被人理解呢……我一开始不相信……哦！还记得吗，当我最初的激动平和下来，当我的视线变得清澈，当只剩下一种最干净的纯洁感情时，我的第一个反应是惊讶、困惑、恐惧？还记得，我是如何突然之间，哭着扑倒在你脚边的吗？还记得，你是如何困惑、惊恐，眼含泪水问：我怎么了吗？我沉默不语，我无法回答你；但我的灵魂碎裂成碎片，我的幸福压迫着我，像一个难以承受的负担，我的阵阵啜泣在我的内心说着："……为什么给我这个？我有何资格得到这个？我有何资格得到幸福？"我的姊妹，我的姊妹！哦！多少次——这是你不知道的——多少次，偷偷地，我亲吻你的衣裙；偷偷地，因为我知道我配不上你，那时我喘不过气来，我的心跳得缓慢而沉稳，仿佛它想停下，永远静止下去。当我握住你的手，我脸色苍白，浑身颤抖，你用你灵魂的纯洁让我窘迫不已。哦，我没本事对你说出我内心蓄积的东西，可它是那样想被人说出来！你知道，你对我一直抱有的同情的温存有时候让我感到沉重、痛苦吗？当你吻我的时候（这发生过一次，而我永远不会忘记），我眼里蒙上一层雾，我的整个灵魂一瞬间极其痛苦。为什么我在这一刻没有死在你脚边？这是我第一次以你相称给你写信，尽管你很久以前就吩咐我这样做。你明白我想说什么吗？我想对你说出一切，而且现在就要说：对，你爱我甚多，你爱我就像姊妹爱兄弟一样；你爱我就像爱自己的造物，因为你让我的心复活，把我的思想从沉睡中唤醒，给我的心中注入甜蜜的希望；我不能，我不敢，我迄今从未称你为我的姊妹，因为我不能成为你的兄弟，因为我们不相称，因为你错认了我！你瞧，我一直都在写自己，即使在这可怕的灾难时刻，我想到的也只有自己，尽管我知道你为我遭受折磨。哦，别为我受折磨吧，我亲爱的朋友！你知道，现在我在自己眼里有多卑下吗？这一切都公开了，鼓噪之声纷起！你会因为我被排斥，人们会向你投来鄙视、嘲笑，因为我在他们眼中是那样低下！哦，都是我的错啊，是我配不上你！若是我有价值，受他们待见，引发他们更多的尊重，他们也就原谅你了！但我很低下，我很渺小，我很可笑，没有什么比可笑更低的了。可不是有谁在叫喊吗？正因为这些人已经开始叫喊，我才垂头丧气了——我一直很虚弱。你知道吗，我现在所处的境地是，我在嘲笑自己，我也觉得，他们说的是实话，因为我甚至觉得自己很可笑，很讨厌。我能感觉到我甚至讨厌自己的脸、身形，自己的所有习惯、所有不好看的姿态，我一直讨厌这一切！哦，原谅我深深的绝望吧！是你教我把一切都告诉你。我毁了你，我给你招来了仇恨和嘲笑，因为我配不上你。正是这个想法在折磨着我，它在我的脑袋里敲打不停，撕扯、刺伤我的心。我一直觉得，你爱错了人，你以为你会在我身上发现那个人，你错认了我。这就是我的痛苦，正是这个令我痛苦，正是这个现在折磨着我，一直要把我折磨至死，或者让我发疯！

别了，别了！现在，当一切都已公开，当传来他们的叫喊声、他们的谤议（我都听到了！），当我被贬低，在我自己的眼中被羞辱，为自己感到羞耻，甚至为你，为你的选择感到羞耻，当我诅咒自己的时候，现在我必须逃走，为了你的安宁而消失。他们要求这样，而你将永远、永远见不到我！这是必须的，这是命中注定的！我被给予得太多。命运犯了一个错误，现在它在纠正错误，把一切全部收回。我们走到一起，了解了对方，现在我们要分开了，直到另一次见面！它会在何地，在何时呢？哦，告诉我，我亲爱的，我们将在哪里见面，我将在哪里找到你，我将如何认出你，那时你会认出我吗？我的整个灵魂都装满了你。哦，为什么，为什么我们要这样？我们为什么要分开？教我吧——我不明白啊，我不明白这个，怎么也不明白——教我，如何把我的生命撕成两半，如何把心扯出胸膛，无心地活着？哦，我将如何记起我永远不会再见到你，永远，永远！……上帝啊，他们发起了怎样的叫喊！我现在多么为你害怕！我刚刚遇见了你的丈夫：我们两个都配不上他，虽然我们在他面前都是无罪的。他什么都知道，他看得见我们，他了解一切，而先前一切对他来说就像白昼一样清清楚楚。他英勇地为你挺身而出，他会救你，他将保护你抵挡这些谤议和叫喊；他无限地爱你，尊重你；他是你的救星，而我却在逃跑！……我奔向他，我想吻他的手！……他让我马上启程。决定了！据说，他为了你跟他们所有的人吵翻了——那里的每个人都反对你。他们指责他的放纵和软弱。我的上帝！那里的人还说你什么？他们不知道，他们不能够，他们没有能力理解！原谅吧，原谅他们，我可怜的人，就像我原谅他们一样。他们从我这里拿走的东西比从你那里拿走的更多！

我不知所以，我不知道在给你写什么。昨晚我在告别时对你说了什么？我把一切都忘了。我失却常态，你哭了……原谅我流下这些泪水！我太软弱了，太缺乏毅力了！

我还有点儿什么事想告诉你……哎！真希望能再次把眼泪洒在你的手上，就像我现在把眼泪洒在我的信上！真希望能再一次倒在你的脚边！真希望他们知道你的情感有多么美好！但他们是瞎子：他们的心高傲而又目空一切；他们看不到，也永世不会看到这一点。他们拿什么看呢！甚至在他们的法庭上，你也是无辜的，但他们不会相信，即使大地上的一切都向他们发誓。他们怎么能理解！他们会怎样向你举起石头？是谁的第一只手去举起它呢？哦，他们不会犹豫的，他们会举起成千上万块石头！他们敢把它举起来，是因为他们知道怎么做。他们全都同时举起来，说他们自己是无罪的，最终却犯下罪孽！哦，要是他们知道自己在做什么就好了！要是能把一切都告诉他们就好了，无所隐瞒，让他们看到、听到、明白并相信！可是不，他们没那么邪恶……我现在处于绝望之中，我，有可能，是在诽谤他们！我，有可能，在用自己的恐惧吓唬你！别害怕，别害怕他们，我亲爱的！你会被人理解的。终于，已经有一个人理解你了：寄予希望吧——这人就是你的丈夫。

别了，别了！我不感谢你！永别了！

C. O.

我的困窘是那样强烈，以至于很长时间我都无法明白自己发生了什么。我既震惊又害怕。现实猝然震慑了轻松梦想之中的我，这种日子我已经过了三年。我恐惧地感觉到我手中有一个巨大的秘密，这个秘密将我的整个存在联系在一起……怎么联系的呢？我自己还不知道。在这一刻，我觉得我的新生活开始了。现在我无意中成了那些人生活和关系中过于亲近的参与者，他们迄今组成了我周围的整个世界，我为自己感到害怕。我凭什么进入他们的生活呢，我，不请自来；我，一个外人？我给他们带来什么？何以解开这些突然把我和别人的秘密联系在一起的绊绳？谁知道呢？也许，我的新角色对我、对他们来说都是痛苦的。我又不能保持沉默，不能不接受这个角色，不能把我得知的事情不留出路地紧闭在我心里。但我会发生什么事呢？我该做什么？说到底，我得知的是什么呢？成千上万个问题，尚显模糊，尚不清楚，在我面前升起，已经不耐烦地挤压着我的心。我茫然若失。

然后，我记得，其他的时刻纷纷到来，带着种种新的、奇怪的，迄今为止我未曾感受的印象。我觉得，好像有某种东西在我胸中生发，先前的愁烦突然一下子从心中脱开，某种新的东西开始充满它，我还不知道——是该对此感到悲伤，还是为之快乐。我现时的瞬间就像一个人永远离开自己的家，离开迄今为止安静的、风平浪静的生活，准备踏上遥远而陌生的路途，最后一次环顾四周，默默与自己的往昔告别，同时忧戚地预感到新路上等待着的整个无所了解的未来，或许严酷、充满敌意，从而心中感到阵阵苦涩。最后，一阵痉挛的抽泣挣脱出我的胸膛，痛苦的发作纾解了我的心。我需要看见、听见什么人，紧紧地、紧紧地拥抱。我不能，现在也不想一个人待着了，我奔向阿列克桑德拉·米哈伊洛夫娜，与她一起度过了整个晚上。我们单独相处，我请她不要弹琴，我也拒绝唱歌，尽管她提出请求。我突然觉得一切沉重不堪，而我无论如何也无法停下来。好像我跟她都哭了起来，我只记得我把她吓坏了。她劝我冷静下来，不要惊慌。她带着恐惧注视着我，让我相信我病了，我不珍惜自己。最后，我走出她的房间，疲惫不堪，受尽折磨，我就像陷入了谵妄，发着热病躺下睡觉了。

过了几天，我才镇静下来，更为清晰地领会自己的处境。这时候我们两人，我和阿列克桑德拉·米哈伊洛夫娜，过着完全与世隔绝的生活。彼得·阿列克桑德罗维奇不在彼得堡，他去莫斯科办事了，在那里待了三个星期。虽然只是短暂的分别，阿列克桑德拉·米哈伊洛夫娜却陷入了可怕的忧伤之中。有时她变得较为安静，但她闭门幽居，所以我都是她的负担了。此外，我自己也在寻求独处。我的头脑在某种痛苦的压力中工作着，我好像在一片烟雾之中。时常一连几个小时漫长而痛苦的沉思找上我，那时我便梦见好像有人在悄悄嘲笑我，好像有什么东西在我体内扎了根，搅扰、毒化我的每一个念头。我无法摆脱那些折磨人的形影，它们时刻出现在我面前，不让我安宁。我脑海里浮现出长期的、毫无出路的苦楚，殉难，以及顺从、无怨，徒然奉献的牺牲。我觉得，这份牺牲所奉献的那个人，在鄙视它，嘲笑它。我觉得，我看到了一个罪犯在宽恕正直之人的罪过，我的心碎裂成几片！与此同时我想尽全力摆脱我的怀疑，我诅咒它，我恨自己，恨的是我所有的信念都不是信念，而只是预感，恨的是我无法在自己面前证实自己的印象。

然后我在脑海里检视那些词句，那可怕告别的最后叫喊。我想象着那个不相称的人，我试着猜测这个词的所有痛苦的含义："不相称"。这种绝望的告别令人痛苦地震慑了我："我很可笑，我为你的选择感到羞耻。"这是怎么回事？这都是怎样的人？他们因何愁闷，因何痛苦，他们失去了什么？克制着自己，我勉强重新读过这封信，其中充满了那般撕扯灵魂的绝望，可它的意思那样奇怪，对我来说那样难以理解。但是信从我手中掉落了，狂乱的激动愈发攫住我的心……最终这一切必将得到某种解决，而我看不见出路或者害怕它！

我差不多病倒了，这时，有一天，我们的庭院哗啦啦响起一阵马车声，彼得·阿列克桑德罗维奇从莫斯科回来了。阿列克桑德拉·米哈伊洛夫娜欣喜地喊着奔向丈夫，但我立在原地，像被钉住了似的。记得，我自己都为我突如其来的激动心情惊愕不已。我忍不住跑回了自己的房间。我不明白，为什么我突然如此惊恐，但我害怕这阵惊恐。一刻钟后有人叫我去，把公爵的信转交给我。在客厅里我遇见一位陌生人，是与彼得·阿列克桑德罗维奇一起从莫斯科来的，从我听到的只言片语得知，他打算在我们这里长久居住下去。这是公爵的委托人，来彼得堡处理公爵家族的一些早就由彼得·阿列克桑德罗维奇管理的重要事务。他递给我一封公爵的信，补充说公爵小姐也想给我写信，直到最后一刻还保证说信一定会写，可还是让他两手空空走了，只是请他转告我，说她没什么可写的，信里什么都写不出来，说她浪费了整整五页纸，然后都撕成了碎片；最后说，必须重新成为朋友才能写信给对方。随后托他转告，向我保证很快就能与她见面。陌生的先生回答了我急不可耐的问题，说很快见面的消息是准确的，他们全家人很快就准备来彼得堡。听到这个消息，我高兴得不知如何是好，赶紧回到自己的房间，把自己紧锁在里面，泪流如雨。我打开公爵的信，公爵答应我很快就能与他和卡佳见面，并深情地祝贺我有那份才华；最后，他为我的未来祝福，并承诺做出安排。我哭着读这封信，但我甜蜜的泪水中混入了那样难以忍受的悲伤，以至于我记得当时为自己感到害怕——我不知道我是怎么回事。

又过了好几天。在我的隔壁，先前彼得·阿列克桑德罗维奇的文牍员曾住过的那间房里，新来的人现在每天上午在那工作，晚上也常常工作到午夜。他们经常把自己关在彼得·阿列克桑德罗维奇的书房里一起工作。有一次，午饭后，阿列克桑德拉·米哈伊洛夫娜请我去一下她丈夫的书房，问他是否要和我们一起喝茶。书房里没找到任何人，我就想，彼得·阿列克桑德罗维奇很快会进来，便站在那儿等着。墙上挂着他的肖像画。记得看见这幅肖像时，我打了个哆嗦，继而怀着自己也无法理解的激动心情，开始端详它。它挂得相当高，此外光线又相当昏暗，于是我为了方便细看，便拉过一把椅子站在上面。我想寻找某种东西，就好像我希望为自己的怀疑找到解答一样，我记得，最先令我感到惊讶的是肖像画的那双眼睛。我立时感到惊讶，因为我几乎从未见过这个人的眼睛：他总是把它们藏在眼镜后面。

145

当我还在童年时就不喜欢他的眼神，那是出于无法理解的、奇怪的偏见，但似乎这种偏见现在得到了证实。我的想象被调动起来。我突然觉得，这幅肖像画的眼睛难为情地背转开我犀利审视的目光，它们在竭力回避，眼里包含着谎言和欺骗。我觉得我猜得很准，不明白是怎样一种隐秘的喜悦在我内心回应了这一猜测。一声轻轻的叫喊挣脱出我的胸膛。这时我听到身后一阵窸窣声，我回头一看，彼得·阿列克桑德罗维奇站在我面前，专注地看着我。我觉得他突然脸红了。我顿时面红耳赤，从椅子上跳了下来。

"您在干什么？"他严厉地问，"您怎么在这儿？"

我不知该如何回答。稍稍恢复了一下，我勉强向他转达了阿列克桑德拉·米哈伊洛夫娜的邀请。我不记得他对我说了什么，也不记得我是怎么离开书房的；但是，当我去见阿列克桑德拉·米哈伊洛夫娜时，我完全忘记了她所期待的回答，随口说他会来的。

"可你是怎么了，涅朵奇卡？"她问，"你整个脸都红了。瞧瞧你自己，你怎么了？"

"我不知道……我走得太快了……"我回答。

"彼得·阿列克桑德罗维奇跟你说什么了？"她惶恐不安地打断我的话。

我没有回答。这时传来彼得·阿列克桑德罗维奇的脚步声，我立刻走出了房间。我在巨大的愁苦中等了整整两个小时，终于有人来叫我去阿列克桑德拉·米哈伊洛夫娜那里。阿列克桑德拉·米哈伊洛夫娜沉默而又忧虑。当我进去的时候，她又快又好奇地看了看我，但立刻垂下眼睛。我觉得，某种尴尬的神情反映在她脸上。很快我就注意到她的心情很糟糕，说话很少，完全不看我。对 Б.的关切询问，她只回答说头痛。彼得·阿列克桑德罗维奇比任何时候都健谈，但只跟 Б.说话。

阿列克桑德拉·米哈伊洛夫娜心不在焉地走到钢琴前。

"请为我们唱支歌吧。"Б.对我说。

"是啊，安涅塔，唱你那首新的咏叹调。"阿列克桑德拉·米哈伊洛夫娜说，好像她很高兴有了这个借口。我望了她一眼：她看着我，不安地期待着。

但我不善于克制自己。我没有走到钢琴前随便唱点儿什么，而是感到窘迫、困惑，不知如何推脱。最后，一阵懊恼支配了我，我断然拒绝了。

"你为什么不想唱歌？"阿列克桑德拉·米哈伊洛夫娜说。她颇具意味地望着我，同时又很快瞥了丈夫一眼。

这两种眼神使我失去了耐心。我从桌边站起身来，极度慌乱，但已不再掩饰了，出于某种焦躁和懊恼的尴尬情绪而颤抖着，火气十足地重复说，我不想，也不能唱，身体不舒服。说这些话时，我望着所有人的眼睛，但上帝知道我多么希望那一刻待在自己的房间，躲开所有人。

Б.很惊讶，阿列克桑德拉·米哈伊洛夫娜明显感到厌倦，一句话也没说。但彼得·阿列克桑德罗维奇突然从椅子上站起来，说他忘记了一件事，看得出，他因错过了必要的时间而恼火，匆忙离开了房间，还预告说他可能会晚些时候来，但为防万一，他握了握 Б.的手以示告别。

"您到底怎么了？"Б.问，"看您脸色确实病了。"

"是的，我不舒服，很不舒服。"我不耐烦地回答。

"的确，你脸色苍白，方才还那么红。"阿列克桑德拉·米哈伊洛夫娜说了一句，突然停了下来。

"够了！"我说，径直走到她面前，直勾勾地看着她的眼睛。可怜的人无法忍受我的目光，垂下眼睛，像做了错事一般，淡淡的红晕染上她苍白的脸颊。我拉起她的手，吻了一下。阿列克桑德拉·米哈伊洛夫娜看了看我，带着并非假装的、天真的兴奋。"请原谅我今天是这么凶恶，这么坏的孩子，"我很有感情地对她说，"不过，真的，我生病了。可别生气，让我走吧。"

"我们都是孩子，"她羞怯地微笑着说，"而我也是孩子，比你还坏，比你坏多了，"她对着我的耳朵补充道，"再见，祝你健康。只是，看在上帝的分上，别生我的气。"

"为什么生气？"我问，这天真的坦白令我惊讶。

"为什么？"她重复道，处于极度的窘迫之中，甚至好像她被自己吓到了，"为什么？哎，你知道我是什么样子的，涅朵奇卡。我跟你说什么来着？再见！你比我聪明……我还不如小孩子。"

"好吧，够了。"我回答说，被深深感动了，不知道该对她说什么。我再次吻了她一下，匆匆离开了房间。

我感到极其沮丧和悲伤。此外，我对自己很生气，觉得我不够小心也不善处事。我羞愧得有点儿想哭，在深深的忧戚中睡着了。当我早上醒来，脑子里的第一个念头是，昨天的一整晚——都是纯粹的幻象，是海市蜃楼，我们只是在互相愚弄，仓促上阵，为琐事赋予一场完整历险的外观，一切的发生都出于缺乏经验，出于我们不习惯接受外界的印象。我觉得，一切都怪这封信，它过于令我不安，扰乱了我的想象力，于是我决定，以后我最好什么都不要想。就这样，我异常轻易地解决了我的全部忧烦，并且完全相信我也会这样轻易地完成我所定下的事情；而后，我变得更加平静，完全快活起来，便去上我的歌唱课了。清晨的空气彻底清爽了我的头脑，我非常喜爱早上去老师家的旅程。走在城里是那样愉快，八点多钟已经相当热闹，人们忙忙碌碌开始了一天的生活。我们通常会经过最热闹、最繁忙的街道，而我又是那样喜爱我的艺人生活开端的这种场景，喜爱以这种日常的琐事，小小的，但活生生的操劳去对比等待着我的艺术，它在这种生活的两步之外，在一幢大房子的三楼，从上到下都挤满了租客，这些人，在我看来，跟任何艺术一概无关。我在这些生意人、怒气冲冲的路人中间，腋下夹着一本乐谱；老妇人娜塔莉娅陪着我，她自己都不知道，她每次都向我提出要求解答的问题：她最常想的是什么？——最后，我的老师，半个意大利人，半个法国人，一个怪物，有时是个真正的爱好者，更多时候是书呆子，最主要的是个吝啬鬼——所有这些都让我感到有趣，令我发笑或深思。此外，我虽说畏怯，却怀着热忱的希望爱着自己的艺术，建起空中城堡，为自己裁切出最美妙的未来。时常，当我返回时，仿佛置身自己幻想的火焰之中。总而言之，在这几个小时里我几乎是幸福的。

在我十点钟下课后回家之际，这种时刻又一次降临在我头上。我忘记了一切，只记得，我是那样高兴地幻想起什么事来。但是突然间，我走上楼梯，打了个哆嗦，就好像被烫了一下。在我上方传来彼得·阿列克桑德罗维奇的声音，这时他正走下楼梯。攫住我的不愉快之感是如此巨大，有关昨天的回忆如此充满敌意地惊慑了我，以至于我无论如何都无法掩藏自己的苦恼。我朝他微微鞠躬，但是，也许此刻我的脸是那样富有表情，以至于他惊讶地停在我面前。注意到他的举动，我脸上一红，快步走上楼去。他对我嘟囔了一句什么，随即继续走自己的路。

我气恼得要哭了，无法理解这是怎么回事。我整个上午神不守舍，也不知怎样决定才能尽快结束和摆脱这一切。我已向自己上千次地保证要讲道理，替自己担心的恐惧感上千次地掌控了我。我感到，我恨阿列克桑德拉·米哈伊洛夫娜的丈夫，但同时我也为自己绝望。这一次，由于不间断地激动不安，我变得非常不舒服，已经再也无法控制自己。我对每个人都很恼火，我在自己的房间里坐了整个上午，甚至没去阿列克桑德拉·米哈伊洛夫娜那里。后来她自己过来了。望了我一眼，她差点儿喊出声来。我的脸色那样苍白，以至于照镜子时，连我自己都吓了一跳。阿列克桑德拉·米哈伊洛夫娜陪了我一个小时，像照顾小孩子一样照顾我。

但我因为她的关心而那样忧伤，因为她的爱抚而那样难受，我看她一眼会那样痛苦，以至于我最后请求她让我一个人待着。她走了，仍然十分担心我。我的悲伤最后终结于眼泪和一次发作。傍晚时分我感觉轻松些了……

轻松些，是因为我决定去她那里。我决定在她面前扑倒跪下，把她丢失的信交给她，向她承认一切：承认我带来的全部痛苦，承认自己的全部怀疑，怀着无尽的爱拥抱她——这种爱在我的内心为她、为我的受难者烧得正旺，告诉她，我是她的孩子、她的朋友，我的心是对她敞开的，她向里面看一眼，就能看见其中有多少对她最炙热、最坚定不移的感情。我的上帝！我知道，我感觉得出，我是最后一个她能为之敞开心扉的人；但这样一来，我觉得，获得拯救就更有可能，我的话也更有力量……虽然模糊、不清不楚，但我理解她的忧愁；而一想到她会在我面前，在我的裁决面前脸红，我的心便翻腾着愤慨之情……可怜的，我可怜的人啊。你就是那个罪人吗？这就是我要在她脚边哭着告诉她的。正义感在我内心被激发起来，我气得发狂，我不知会做出什么事来；但直到事后我才清醒过来，一件意想不到的事挽救了我和她免于毁灭，几乎在我刚踏出第一步就拦住了我。一阵恐惧向我袭来。她饱受折磨的心会为了希望复活吗？我的一记打击本来会杀了她的！

事情是这样的：我已经离她书房只有两个房间那么远了，这时彼得·阿列克桑德罗维奇从侧门出来，他没注意到我，从我前面走了过去——他也是去她那儿的。我停住，就像脚下生了根，在这种时候我最不该遇到的人就是他了。我正要离开，但好奇心突然把我钉在了原地。

他在镜子前停了一会儿，整理了一下头发，令我大吃一惊的是，我突然听见他在哼唱着一支歌。刹那间我童年的一段黑暗、遥远的回忆在我的意识中复活了。为了理解我在那一刻经历的奇怪感觉，我就说一说这段回忆。在我来到这个家的第一年，我便被一件事深深地震惊了，只是到现在才恍然大悟，因为只有现在，只有在这一刻，我才领会到自己对这个人莫名反感的起因！我已提到过，在那个时候，只要跟他在一起，我总是很难受。我已经说过，他眉头紧蹙、忧心忡忡的样子，常常忧郁和沮丧的面部表情，给我留下多么沉闷的印象；我们在阿列克桑德拉·米哈伊洛夫娜的茶桌边共度几个小时之后，我感到多么痛苦，而且最后，当我碰巧两三次几乎成了一开始我提到的那些阴郁而不快的争吵的见证人，多么折磨人的忧戚撕扯着我的心。巧的是，那时我遇见他，就像现在一样，也是在同一个房间、在同一时刻，当时他和我一样，要去阿列克桑德拉·米哈伊洛夫娜那里。我单独遇见他时，感到一种纯粹孩子式的羞怯，因此像犯了错似的躲进角落，向命运祈祷别让他注意到我。当时就像现在一样，他停在镜子前，我打了个哆嗦，出于某种不确定的、并非孩子的感觉。在我看来，他似乎在改造自己的脸。至少我清楚地看见他走近镜子之前脸上的微笑，我看见他在发笑，这是我以前从未见过的，因为（我记得，这一点最令我震惊）他从来没有在阿列克桑德拉·米哈伊洛夫娜面前笑过。突然，他刚一望向镜子，脸就完全变了。微笑就像听从命令一样消失了，在它的位置上，某种苦涩的感觉，好像不由自主地挣扎着从内心表露出来，那是一种人类的力量无法隐藏的感觉，无视任何慷慨的努力，扭歪了他的嘴唇，某种抽搐的疼痛在他前额撺出一片皱纹，挤压着他的眉毛。目光阴沉地隐藏在眼镜后面，总之，就在一瞬间，就像接受了指令，他完全变成了另一个人。记得，我，一个小孩子，出于恐惧浑身哆嗦，因为害怕理解我所看见的事情，于是从那时起，一个沉重、不愉快的印象被毫无出路地锁在了我心里。朝镜子里看了一分钟后，他垂下头，弯腰拱背，就像他通常出现在阿列克桑德拉·米哈伊洛夫娜面前那样，踮着脚走进她的书房。正是这一回忆惊慌了我。

　而那时也跟现在一样，他觉得，只有他一个人，便在这面镜子前停了下来。也像那时似的，我带着敌对、不舒服的感觉跟他撞在一起。但是，当我听到这歌声（他在唱歌，而这类事情发生在他身上简直不可思议），它是那样出其不意地令我震惊，以至于我像被钉住似的留在原地，而就在同一时刻，这种相似的情景让我想起我童年中几乎相同的瞬间，此时，我无法传达，那是多么酸楚的印象戳中了我的心。我全身的神经都在颤抖，为了回应这不祥的歌声，我爆出那样一阵笑声，以至于可怜的歌手尖叫起来，从镜子边跳开两步，脸色煞白，像被当场抓了个现行，看着我，因恐惧、惊讶和狂怒而气急败坏。他的目光病态地在我身上起了作用。我回应他的是直对着他的眼睛发出一阵紧张、歇斯底里的笑声，我走了过去，笑着，经过他身边，不停地哈哈哈，进了阿列克桑德拉·米哈伊洛夫娜的房间。我知道他站在帷幔后面，可能在犹豫，不知该不该进去，狂怒和胆怯把他钉在了原地——怀着某种不耐烦所引发的激愤之情，我等着看他怎么决定；我敢打赌他不会进来，而且我赢了——他半个小时后才进来。阿列克桑德拉·米哈伊洛夫娜极其惊讶地看了我很久。但她徒劳地一再询问我，我怎么了？我无法回答，喘不过气来。最后，她明白了我是处于神经性发作之中，便焦急地照料我。休息了一会儿，我握住她的两只手开始亲吻它们。现在我才改变了主意，现在我才猛然想到，我本来会害死她的，如果我没有遇到她丈夫的话。我像看一个复活的人那样看着她。

彼得·阿列克桑德罗维奇进来了。

我匆匆瞥了他一眼：看他的样子，就像我们之间什么都没发生过，就是说，像往常一样严肃而沉闷。但凭着他苍白的脸和他嘴角轻微的颤抖，我猜测他勉强掩饰着自己的激动情绪。他冷淡地问候了阿列克桑德拉·米哈伊洛夫娜，默默坐在座位上。他拿茶杯的时候手在颤抖。我期待着爆发，突然感到某种莫名其妙的恐惧。我想走，但我拿不定主意该不该留下阿列克桑德拉·米哈伊洛夫娜，她望着丈夫脸色都变了，她也预感到某种不祥。最后，我怀着那样的恐惧预测的事情，发生了。

在深深的寂静中，我抬起眼睛，遇见彼得·阿列克桑德罗维奇的眼镜直接对着我。这是那样出乎意料，以至于我打了个寒战，差点儿叫出声来，低下了头。阿列克桑德拉·米哈伊洛夫娜注意到了我的动作。

"您怎么了？为什么您脸红了？"响起了彼得·阿列克桑德罗维奇刺耳而粗鲁的声音。

我沉默着，我的心跳得那样厉害，以至于我无法说出一句话。

"为什么她脸红了？为什么她总是脸红？"他问道，转向阿列克桑德拉·米哈伊洛夫娜，蛮横地指着我。

一阵愤慨扼住了我的气息，我向阿列克桑德拉·米哈伊洛夫娜投去恳求的目光。她明白了我的意思，她苍白的脸颊烧得通红。

"安涅塔，"她用坚定的声音对我说，这种语气是我无论如何没有料到的，"回你那儿去吧，我一会儿去找你，傍晚我们一起过……"

"我在问您，您听见我的话没有？"彼得·阿列克桑德罗维奇打断了她，越发抬高声音，好像没听到他妻子说的话，"您为什么见到我就脸红？请回答！"

"因为您使她脸红，也让我脸红。"阿列克桑德拉·米哈伊洛夫娜回答，声音因激动而断断续续。

我惊讶地看了看阿列克桑德拉·米哈伊洛夫娜，她的反驳如此炽烈，一开始让我感到完全不解。

"我使您脸红了，我？"彼得·阿列克桑德罗维奇回答她，因为惊讶而显得失态，着重强调"我"这个字，"因为我您脸红？我能使您因为我脸红？是您，而不是我该脸红，您是这么想的？"

这句话对我来说那样明白，以那样冷酷、刻薄的嘲弄说出来，以至于我惊恐地叫了一声，扑向阿列克桑德拉·米哈伊洛夫娜。惊异、痛苦、责备和恐惧显现在她变得死一般苍白的脸上。我以恳求的神情交叠双手，望了望彼得·阿列克桑德罗维奇。看上去，他突然醒悟过来；但让他冲口说出这句话的狂怒还没有过去。然而，他注意到我无言的祈求后窘住了。我的手势清楚地说明，我知道很多他们之间迄今还是秘密的事，我也十分明白他的话。

"安涅塔，请回自己那儿吧，"阿列克桑德拉·米哈伊洛夫娜用虚弱但坚定的声音重复道，从椅子上站起，"我非常需要跟彼得·阿列克桑德罗维奇谈谈……"

她，表面看很是平静，但这种平静比任何激动情绪更让我害怕。我好像没听到她的话一样，生了根似的留在原地。我鼓足全部力气，想要从她脸上读懂在这一瞬她心里发生了什么。在我看来，她既不明白我的手势，也没听懂我的惊呼。

"这就是您做的事，小姐！"彼得·阿列克桑德罗维奇说道，拉起我的手，指着妻子。

我的上帝！我从未见过此时在这张沮丧、毫无人色的脸上看到的这种绝望。他拉着我的手，带我走出房间。我最后看了他们一眼。阿列克桑德拉·米哈伊洛夫娜站在那里，倚靠壁炉，双手紧抱着头。她身体的整个姿态呈现出难以忍受的痛苦。我抓住彼得·阿列克桑德罗维奇的手，热切地握紧它。

"看在上帝的分上！看在上帝的分上！"我语不成声地说，"发发慈悲吧！"

"请别害怕，请别害怕！"他说，有些奇怪地看着我，"这没什么，这是一次发作。您走吧，走吧。"

我走进自己的房间，扑倒在沙发上，双手捂住脸。整整三个小时我以这种姿势度过，并在这一瞬间活过了整个地狱。最后，我承受不住，派人询问我能不能去阿列克桑德拉·米哈伊洛夫娜那里。莱奥塔尔夫人带来了答复。彼得·阿列克桑德罗维奇说，发作已经过去，没有危险，但阿列克桑德拉·米哈伊洛夫娜需要安静。我直到凌晨三点才上床睡觉，我一直在思考，在房间里走来走去。我的处境比以往任何时候都更难猜测，但在某种程度上我感到更为平静——也许，是因为我感到我比任何人更有罪责。我躺下睡觉，急不可耐地期待着明早的到来。

然而第二天，我痛苦而惊异地注意到，阿列克桑德拉·米哈伊洛夫娜身上有某种无法解释的冷淡。起初我觉得，在昨天我迫不得已成了她与丈夫争吵的见证人之后，这颗纯洁、高尚的心很难跟我在一起。我知道，这个孩子会在我面前脸红起来，请求我原谅那场不幸的争吵——或许，它昨天伤了我的心。但我很快注意到她还怀有另外某种忧心和苦恼，极其别扭地显露出来：时而她干巴巴地回答我，时而在她的话里听得出某种特殊的意思；时而，最后，她突然变得对我非常温柔，好像在为这种冷酷的态度而后悔，这是她心中不该有的，她亲切的、轻轻的话语听上去像是某种责备。最后，我直接问她怎么了，是否要告诉我什么。我的快速提问让她有些尴尬，但是她立刻向我抬起自己那沉静的大眼睛，带着温柔的微笑看着我，说：

"没什么，涅朵奇卡。只是你知道吗，当你这么快问我时，我有点儿尴尬。这是因为你问得这么快……请你相信。不过，听着，实话回答我，我的孩子，在你心里有没有什么事情，如果这样又快又意外地被人问到，你也会同样尴尬吗？"

"没有。"我回答，并用清澈的眼睛看了看她。

"嗯，那就好！要是你知道，我的朋友，我多么感激你这个完美的回答啊。倒不是说我怀疑你做了什么坏事，永远都不会！我不会原谅自己有这种想法。但你听着，我把你当作孩子，可现在你十七岁了。你自己也看见了，我生病了，我本身就像个孩子，需要得到照顾。我无法完全取代你的亲生母亲，即使我心中对你的爱足以做到这一点。如果说这种关心令我痛苦，那么，理所当然，不是你的错，而是我的错。请原谅我的问题，也原谅我，也许是迫不得已，没有履行我从爸爸家带你走时对你和他许下的所有承诺。这让我很不安，也经常困扰着我，我的朋友。"

我搂住她，哭了起来。

"哦，感谢，感谢您所做的一切！"我说，任泪水洒在她的手上，"不要这样对我说话，不要撕裂我的心。您对我胜过母亲，愿上帝保佑您，为您和公爵二人对我这个可怜的遗孤所做的一切。我可怜的人，我亲爱的人！"

"够了，涅朵奇卡，够了！好好搂着我，就是这样，紧一点儿，再紧一点儿！你知道吗？上帝知道为什么我觉得这是你最后一次拥抱我。"

"不，不，"我说，像小孩子一样大哭起来，"不，不会的！您会幸福的！……以后还有很多的日子。请您相信，我们会幸福的！……"

"谢谢你，谢谢你这么爱我。现在我身边的人很少了，所有人都弃我而去了！"

"谁弃您而去了？他们是谁？"

"以前我周围还有其他人，你不知道，涅朵奇卡。他们都弃我而去了，全都走了，就好像原来都是鬼魂。可我那样等着他们，等了一辈子，愿上帝保佑他们！瞧，涅朵奇卡，你看，多么浓重的秋色；很快就下雪了，我会随着第一场雪死去，是的，但我不悲伤。别了！"

她的脸苍白难看，面颊上双双燃烧着不祥的、血红色的斑块；她的嘴唇微微发颤，受着内热的炙烤。

她走到钢琴前，弹了几个和弦，就在这个瞬间一根弦啪的一声断了，哀怨地发出一阵悠长的颤音……

"你听，涅朵奇卡！听见了吗？"她突然用一种充满灵感的声音指着钢琴说，"这根弦绷得太紧、太紧了，它承受不住就死掉了。你听，那声音死得多么可怜！"

她说话很吃力。无声的内心之苦反映在她脸上，她的眼里含满泪水。

"好吧，这个也说够了，涅朵奇卡，我的朋友。够了，带孩子们过来吧。"

我把他们带来。望着他们，她好像歇过来了，一小时后让他们走了。

"我死了，你不会丢下他们吧，安涅塔？对吧？"她低声对我说，好像害怕有人听见似的。

"够了，您这是在杀死我！"我只能这样回答她。

"我开玩笑呢，"她沉默了一会儿，微笑着说，"可你信了？有时候上帝知道我在说些什么。我现在像个孩子，我需要一切都原谅我。"

这时她胆怯地看了看我，好像有什么话害怕说出来。我等待着。

"当心别吓着他。"她最后说，垂下眼睛，脸上带着淡淡的红晕，话音那么轻，让我几乎听不见。

"谁？"我惊讶地问。

"我丈夫。你最好慢慢告诉他一切。"

"为什么呢，为什么？"我重复着，越来越感到惊讶。

"哎，也许，不要告诉他吧，谁知道呢！"她回答说，竭力更显狡黠地看了看我，尽管同样天真无邪的微笑仍闪现在她嘴唇上，红晕在她脸上越发蔓延开来。"不谈这个了，我都是开玩笑的。"

我的心越发缩紧了。

"只是你听着，我死后，你会爱他们的，好吗？"她又严肃地补充道，又好像带着某种神秘的表情，"就像爱自己的孩子那样。好吗？记住，我一直认为你是我亲生的，跟我自己的孩子没有区别。"

"是的，是的。"我回答，不知道自己在说什么，因泪水和窘迫而喘息不已。

一记热吻灼烧着我的手，让我没来得及缩回来。惊讶锁住了我的舌头。

"她怎么了？她在想什么？他们昨晚发生了什么？"这些想法在我脑子里闪过。

过了一会儿，她开始抱怨说她累了。

"我早就病了，只是不想吓到你们俩，"她说，"毕竟你们都爱我，是吧？……再见，涅朵奇卡，你去吧。只是晚上你一定要来我这儿，你来吗？"

我应承了，但很高兴能离开，我再也受不了了。

可怜的人，可怜的人！怎样的怀疑在将你送入坟墓？——我哭着呼喊道——怎样一种新的悲伤刺痛、侵蚀着你的心，而对此你几乎不敢道出一字？我的上帝！这漫长的痛苦现在我都已了然于心，这不透光亮的生活，这怯懦、无所要求的爱，甚至现在，现在，差不多是在自己的临终之榻上，心被疼痛撕成两半。她，就像犯了罪，害怕发出最微弱的怨声、控诉，想象和虚构出新的痛苦之后，她就已经向它屈服了，与它讲和了！……

傍晚时分，我趁着莫斯科来的奥弗罗夫不在，走进图书室，打开书柜，开始在书中翻找，要挑出一本为阿列克桑德拉·米哈伊洛夫娜朗读。我想把她从阴暗的想法上转移开，挑些轻松愉快的东西……我挑拣了很长时间，漫不经心。暮色渐浓，与此同时我的悲伤也在增长。我手上又出现了这本书，翻开在同一页，现在我看见从那时起就没离开我胸口的那封信的痕迹——那秘密，带着它，好像我的存在猝然折断并重新开始了，它向我吹送那么多阴冷、未知、神秘和不甚友善的东西，现在已经从远处那样冷酷地威胁着我……"我们会怎么样呢，"我想，"我在其中感到那样温暖、那样自由自在的角落，就要空下来了！纯洁、光明的精神，曾守护了我的青春，现在就要丢下我了。前面会有什么呢？"我站在那儿，浑然陷入现在是那样熨帖我心的往事的沉思中，好像在尽力洞悉未知的、威胁着我的未来……我回忆着这一刻，好像现在重新经历着它：它是那样有力地铭刻在我的记忆中。

我手里拿着信和打开的书，我的脸被泪水打湿。突然我惊得哆嗦了一下，头顶传来一个熟悉的声音。就在这时，我觉得信从我手中被夺走了。我尖叫起来，回头一看，彼得·阿列克桑德罗维奇站在我面前。他抓住我的手，死死把我困在原地；他用右手把信拿到光线下，试图辨认出头几行字……我叫喊着，宁愿死也不愿让这封信留在他手上。从那得意扬扬的微笑中，我看出他设法辨认出了头几行字。我丧失了理智……

转瞬之间，我已朝他扑了过去，几乎失去了常态，把信从他手里扯了过来。这一切发生得太快了，以至于我自己都不知道这封信怎么又回到了我的手上。但是，注意到他又想把它从我手中夺走，我便急忙把信藏在怀里，往后退了三步。

我们默默地看了对方半分钟，我仍害怕得直发抖。他——脸色苍白，颤抖的嘴唇气得发紫，先打破了沉默。

"够了！"他说，激动得声音都变弱了，"您肯定不想让我使用武力；请您自愿把信给我。"

直到现在我才醒悟过来，为粗鲁暴力感到的屈辱、羞愧、怨恨扼住了我的气息。热泪流过我滚烫的脸颊，我激动得浑身发抖，好一阵说不出一句话。

"您听见没有？"他说，朝我迈了两步……

"请走开，走开！"我喊了起来，躲开他，"您的行为低俗，不高尚。您失态了！让我过去！……"

"怎么？这是什么意思？您竟敢用那种语气……既然您都……请交出来，我在跟您说话！"

他又向我迈了一步，但，望了望我，见到我眼里的神色那样果决，只能停了下来，像是陷入了思索。

"好吧！"最后他干巴巴地说，好像做出了一个决定，但仍然勉强克制着自己，"这事还有个缓急，但首先……"

这时他朝四下看了看。

"您……谁让您进图书室的？为什么这个柜子开着？您从哪儿弄的钥匙？"

"我不会回答您，"我说，"我不能跟您说话。请放我走，放我走！"

我朝门口走去。

"对不起，"他说，拉住我的手，"您不能就这样走掉！"

我默默地抽回手，再次向门边移动。

"那好。但我无法容许您，实际上，接收您的情人们的来信，在我家里……"

我惊得大叫一声，失魂落魄地看着他……

"因此……"

"住口！"我大声喊道，"您怎么可以？您怎么能对我说这种话？……我的上帝！我的上帝！……"

"什么？什么！您还威胁我？"

但我一脸苍白，一副被绝望击垮的样子看着他。我们之间的争吵到了最为激烈的程度，让我无法理解。我用目光在恳求他别再继续下去了，我准备原谅他的侮辱，以便让他停下来。他目不转睛地盯着我，明显在犹豫不定。

"请别把我逼到极限。"我惊恐地低声说。

"不，小姐，这必须结束！"他终于说，像是醒悟过来。"我向您承认，这种目光让我犹豫了，"他补充道，面带奇怪的微笑，"但，不幸的是，事情本身就说明问题。我刚好读了这封信的开头。这是一封情书。您改变不了我的看法！不，抛掉这种念头吧！如果我有一分钟的怀疑，那只是在证明，在您所有的优秀品质中，我必须加上出色的说谎能力，因此我再说一遍……"

在他说话的时候，他的面孔由于愤恨越来越扭曲。他脸色发白，嘴唇歪斜、颤抖，因此他是很吃力地说出最后一句话的。天色渐暗，我毫无庇护地站在那儿，独自一人，面对一个能够侮辱女性的人。最后，所有的表象也于我不利，我羞愧难当，倍感迷失，无法理解这个人的恼恨。我没有回答他，惊恐得像丢了魂一般冲出房间，当我缓过神来时，已经站在阿列克桑德拉·米哈伊洛夫娜的书房门口了。就在这一瞬传来他的脚步声，我正要走进房间，突然像被雷电击中一样停了下来。

"她会怎么样呢？"这个念头在我脑子里闪过，"这封信！……不，怎样都比让她心上遭受这最后一击好。"于是我又往回跑，但已经太迟了：他已经站在了我旁边。

"您想去哪儿就去吧，就是不能来这儿，不能来这儿！"我低声说，抓住他的手，"饶了她吧！我再去图书室或者……您想去哪儿都行！您会害死她的！"

"是您要害死她！"他答道，把我推到一边。

我所有的希望都消失了。我觉得，他就是想把整场争吵转移到阿列克桑德拉·米哈伊洛夫娜面前。

"看在上帝的分上！"我说，尽全力阻止他。但就在这一瞬间帷幔升起了，阿列克桑德拉·米哈伊洛夫娜出现在我们面前。她吃惊地看着我们，她的脸比往常更加苍白，她吃力地站稳。看得出，她听到我们的声音后费了很大气力才走到我们这边。

"谁在这儿？你们在说什么？"她问道，极其惊讶地看着我们。

沉默持续了一会儿，她脸色白得像块布。我冲上前去，紧紧抱住她，把她拉回书房。彼得·阿列克桑德罗维奇跟着我进来了。我把脸藏在她的胸前，紧紧抱着她，被预期的事吓得半死。

"你怎么了，你们怎么了？"阿列克桑德拉·米哈伊洛夫娜又问了一遍。

"您问她吧，您昨天还那么护着她。"彼得·阿列克桑德罗维奇说，重重地坐进一张扶手椅。

我越来越紧地把她搂在自己怀里。

"但是，上帝啊，这是怎么回事？"阿列克桑德拉·米哈伊洛夫娜大为惊恐，"您那样怒冲冲的，她吓坏了，泪汪汪的。安涅塔，把你们之间发生的一切告诉我。"

"不，请让我先来。"彼得·阿列克桑德罗维奇说，抓起我的手，把我从阿列克桑德拉·米哈伊洛夫娜身边拉开。"站在这儿，"他说，指着房间中央，"我想在取代您母亲的人面前评判您。请您冷静点儿，请坐。"他补充道，把阿列克桑德拉·米哈伊洛夫娜安顿在扶手椅上。"我很难过，无法将您排除在这种不愉快的解释之外，但它是必要的。"

"我的上帝，你们这是要干什么啊？"阿列克桑德拉·米哈伊洛夫娜说，怀着深深的悲伤，依次将目光转向我和她的丈夫。我扭着两只手，预感到这决定性的时刻。我不期望他的仁慈。

"总而言之，"彼得·阿列克桑德罗维奇继续说，"我想让您和我一起来评判。您总是（我不明白是为什么，这是您的奇思幻想之一），您总是认为——比如昨天就说过……我不知道该怎么说；种种猜测让我脸红……总而言之，您护着她，您攻击我，您指责我不恰当的严厉；您还暗示某种其他的感情，好像是它引起了我这种不恰当的严厉。您……可我不明白，为什么想起您的猜测，我就无法克制自己的尴尬和脸上这红晕；为什么我不能大声、公开地说这些事，当着她的面……总而言之，您……"

"哦，您不会这么做！不，您不会说这件事的！"阿列克桑德拉·米哈伊洛夫娜叫喊着，很是激动，羞愧得发起急来，"不，您会饶恕她的。是我，都是我编造的！我心里现在没有任何怀疑。请原谅我的这些怀疑，请原谅。我病了，必须原谅我，只是别告诉她……安涅塔，"说着，她走到我身边，"安涅塔，离开这儿吧，快点儿，快点儿！他在开玩笑。这都是我的错，这是个不恰当的玩笑。"

"总而言之，您因为她而猜忌我。"彼得·阿列克桑德罗维奇说，毫不留情地抛出了这句话，回应她那愁苦不堪的期待。她尖叫一声，脸变得煞白，倚靠着扶手椅，勉强站稳。

"愿上帝原谅您！"她终于用微弱的声音说，"我替他求你原谅，涅朵奇卡，原谅我吧，都是我的错。我生病了，我……"

"可这是霸道、无耻、卑鄙！"我愤怒地尖叫着，明白了，终于明白了一切，明白了他为什么要在妻子面前谴责我。"这理应受到蔑视，您……"

"安涅塔！"阿列克桑德拉·米哈伊洛夫娜喊了一声，惊恐地握住我的手。

"闹剧！一出闹剧，仅此而已！"彼得·阿列克桑德罗维奇说道，靠近我们，处于难以描绘的激动之中。"我告诉您，是一出闹剧，"他继续说，带着不祥的微笑专注地看着妻子，"这一整出闹剧里被骗的只有一个——就是您。请相信，我们，"他吐出这句话，喘息着指了指我，"我并不害怕这样当面澄清；请相信，我们没那么纯洁无瑕，有人对我们说起这类事情，也

163

不会自觉受辱、脸红、捂住耳朵。对不起，我表达得简单、直接、粗鄙，也许吧，但——必须这样。夫人，您确信这个……少女的行为规矩得体吗？"

"上帝啊！您怎么了？您忘乎所以了！"阿列克桑德拉·米哈伊洛夫娜说道，吓得呆立在那里，生气全无。

"请不要用夸大的字眼！"彼得·阿列克桑德罗维奇轻蔑地插话道，"我不喜欢这样。眼下这件事简单、直接、庸俗到了最庸俗的地步。我在问您她的行为，您知不知道……"

但我没让他说完，便抓住他的手，用力把他拉到一边。再过一分钟——一切就无法挽回了。

"别提那封信！"我说得很快，声音很轻，"你会当场害死她的。责备我也就是同时在责备她。她无法评判我，因为我一切都知道……您明白，我一切都知道！"

他专注地、带着强烈的好奇看了看我——慌乱起来，血涌上了他的脸。

"我一切都知道，一切！"我重复了一遍。

他仍在犹豫，一个疑问在他的唇齿间翕动。我抢先制止了他。

"是这样的，"我大声而又急切地说，转向阿列克桑德拉·米哈伊洛夫娜，她正以胆怯、忧郁的惊异神情看着我们，"一切都是我的错。至今四年了，我一直瞒着您。我拿了图书室的钥匙，四年来偷偷读书。彼得·阿列克桑德罗维奇撞见我在读一本书……这本书不可以，也不应该出现在我的手上。他为我担心，在您面前夸大了危险性！但我并不是在为自己辩护（我忙着说完，注意到他嘴唇上讥讽的微笑），一切都是我的错。诱惑战胜了我，而且，一旦犯下罪过，我就羞于承认自己的行为……就这些，这几乎就是我们之间发生的全部……"

"嚯，真机灵！"彼得·阿列克桑德罗维奇在我旁边低声说。

阿列克桑德拉·米哈伊洛夫娜十分专注地听完我的话，但她脸上明显反映出了不信任。她不停地时而看看我，时而看看丈夫。沉默降临了，我勉强喘息着。她低下头，用一只手捂着眼睛，思考着什么，显然是在权衡我说的每一句话。最后，她抬起头来，专注地看了看我。

"涅朵奇卡，我的孩子，我知道你不擅长撒谎，"她说道，"这就是全部，的确是全部？"

"全部。"我回答。

"全部吗？"她转向她的丈夫，问道。

"是的，全部，"他勉强回答，"全部！"

我缓了口气。

"你向我保证吗，涅朵奇卡？"

"是的。"我毫无磕绊地回答。

但我忍不住看了彼得·阿列克桑德罗维奇一眼。他听了我做保证的话，笑了笑。我面红耳赤，我的困惑并没有逃过可怜的阿列克桑德拉·米哈伊洛夫娜的眼睛，压抑、痛苦的悲伤反映在她的脸上。

"够了，"她忧郁地说，"我相信你们，我无法不相信你们。"

"我想，这种坦白也足够了，"彼得·阿列克桑德罗维奇说，"您听到了吗？请问您怎么想？"

阿列克桑德拉·米哈伊洛夫娜没有回答。场面变得越来越难堪。

"我明天要把所有的书都查看一遍，"彼得·阿列克桑德罗维奇继续说，"我不知道那儿还有什么，但是……"

"她读的是什么书？"阿列克桑德拉·米哈伊洛夫娜问。

"书？请您回答吧。"他对我说，"您比我更擅长解释事情。"他暗含讥笑地补充说。

我很是窘迫，一句话也说不出来。阿列克桑德拉·米哈伊洛夫娜脸红了，垂下眼睛。接着是一阵长时间的停顿。彼得·阿列克桑德罗维奇懊恼地在房间里走来走去。

"我不知道你们之间发生了什么，"阿列克桑德拉·米哈伊洛夫娜最后开口道，怯生生地说出每一个字，"但如果只是这些，"她继续说，竭力赋予自己的话一些特殊含义，已然对丈夫固定不动的目光感到尴尬，尽管她尽量不看他，"如果只是这些，我不知道我们何必全都如此难过、绝望呢。比任何人都有错的是我，只是我一个人，这也让我非常痛苦。我忽视了对她的教育，我应该对一切负责。她必须原谅我，而我不能也不敢谴责她。但是，同样，我们何必要绝望呢？危险过去了。请看看她吧，"她说，越发振作起来，向自己的丈夫投去探求的目光，"请看看她，难道她的轻率行为留下任何后果了吗？难道我不了解她，我的孩子，我可爱的女儿？难道我不知道她的心是纯洁高尚的，在这个漂亮的脑袋瓜里，"她继续说，爱抚我，把我贴到自己身边，"思想清晰、鲜明，而良心也害怕欺骗……够了，我亲爱的！停止吧！想必，还有别的什么潜伏在我们的忧烦中；有可能，敌对的阴影只在我们身上一掠而过。但我们用爱赶走它，用善意的协调一致驱散我们的误解。或许，我们之间很多话都没有说完，而我要第一个认错。是我最先向你们隐瞒，在我这里最先生出上帝知道是怎样的怀疑，这要怪我生病的脑袋。但……但如果我们部分地说了出来，你们都必须原谅我，因为……因为，终究，我的怀疑也算不上是什么大的罪过……"

说完这些，她胆怯地红着脸看了看丈夫，忧戚地期待着他的话。在他听她说话的时候，讥嘲的微笑显露在他的嘴唇上。他不再走动，直接在她面前停住，两手向后一甩。他，似乎在思忖她的困窘，观察它，欣赏它。她感到他专注的目光落在自己身上，慌乱起来。他等了一会儿，仿佛期待着接下来的什么事。她的困窘加剧了。最后他以一阵低沉、悠长、刻毒的笑声打破这令人难堪的僵局。

　　"我为您惋惜，可怜的女人！"他终于痛苦而严肃地说，不再笑了，"您为自己挑了个您无力扮演的角色。您想怎么样？您是想鼓动我回答，用新的怀疑煽动我，或者不如说，用您在您的话中没隐藏好的旧的怀疑？您话里的意思是，没什么可跟她生气的，她很好，哪怕读了那些不道德的书之后也一样，那些书的说教，要让我说，看来已经取得了某种成就，让您，最终亲自为她负责，是这样吗？而您，做出这番解释，您是在暗示别的什么东西；您觉得，我的怀疑和压制来自某种其他的感情。您甚至昨天暗示我——请不要阻止我，我喜欢有话直说——您甚至暗示，在有些人那里（我记得，按您的说法，这些人大多老成持重、严苛、直率、聪明、强壮有力，上帝知道您慷慨发作时什么定义给不出来！），在有些人那里，我再重复一遍，爱（上帝知道您为什么杜撰这个！）不能不严厉、热烈，陡然地，经常以怀疑和压制表现出来。我不太记得您昨天是不是这么说的……请不要阻止我，我很了解您的学生，一切她都能听到，一切，我第一百次地跟您讲，一切。您被蒙骗了。但我不知道，为什么您要如此坚持，认为我正是那个人！上帝知道为什么您想让我穿进这件丑角的长袍。我不是爱这位少女的年龄了；最后，相信我，夫人，我知道自己的责任，无论你多么慷慨地原谅我，我都要说先前说的话，过失永远是过失，罪永远是罪，是羞惭、可耻、丑恶、不光明正大的罪，无论你把不端的情感提升到多么高尚的程度！不过够了！够了！别让我再听到这种肮脏的东西！"

　　阿列克桑德拉·米哈伊洛夫娜哭了。

"哎，让我来承担，就让我来吧！"她终于说道，抽泣着拥抱我，"任凭我的怀疑是可耻的，任凭您那样冷酷地嘲笑它们吧！但是你，我可怜的孩子，凭什么判定你要听这种侮辱？我不能保护你！我喑哑无声！我的上帝！我不能沉默，先生！我受不了……您的行为毫无理智！……"

"够了，够了！"我低声说，试图平息她的激动情绪，担心严厉的斥责会让他失去耐心。我仍为她感到害怕。

"不，眼瞎的女人！"他喊道，"但您不知道，您没看见……"

他停了一会儿。

"离她远点儿！"他对我说，从阿列克桑德拉·米哈伊洛夫娜手中拨开我的手，"我不允许您碰我的妻子，您弄脏了她，您在这里就是侮辱她！但是，当我需要，当我必定要说话的时候，什么能迫使我保持沉默？"他喊道，跺着一只脚。"我要说，我要说出一切。我不知道您那儿都知道什么，小姐，您想威胁我什么，我也不想知道。听着！"他继续说，转向阿列克桑德拉·米哈伊洛夫娜，"请您听着。"

"请别说话！"我大喊一声，冲上前去，"请别说话，一个字也不要说。"

"请听着……"

"请别说话，看在……"

"看在什么的分上，小姐？"他插了进来，迅速而犀利地望了望我的眼睛，"看在什么分上？要知道，我从她手里抢下一封情人的信。这就是我们家里发生的事！这就是您身边发生的事！这就是您没看见、没注意到的事！"

我几乎无法站稳。阿列克桑德拉·米哈伊洛夫娜面如死灰。

"这不可能。"她低声说。

"我看到了这封信，夫人，我还拿到过，我读了头几行，没有弄错：信是情人写的。她从我手中抢走了，现在信在她那儿——很清楚，就是如此，这一点毋庸置疑；如果您还怀疑，那就瞧一瞧她，然后看看还有没有一丝怀疑的可能。"

"涅朵奇卡！"阿列克桑德拉·米哈伊洛夫娜喊道，向我扑来，"可是，不，不要说话，不要说话！我不知道这件事，怎么会这样……我的上帝，我的上帝！"

她痛哭起来，双手捂住脸。

"但是，不！这不可能！"她又喊了一声，"您弄错了。这……我知道，这意味着什么！"她说道，紧盯着丈夫。"您……我……做不到，你不能欺骗我，你不能欺骗我！把一切都告诉我，一切，毫无隐瞒：是他弄错了吗？他真的弄错了？他看到的是别的东西，他看花眼了吗？是吧，真是这样吗？真的吗？听着，为什么不把一切都告诉我，安涅塔，我的孩子，我亲爱的孩子？"

"请回答吧，请快点儿回答！"彼得·阿列克桑德罗维奇的声音在我头顶响起，"请回答，我看没看见您手中的信？"

"是的！"我回答，激动得喘不过气来。

"这封信是您的情人写的？"

"是的。"我回答。

"您现在跟这个人保持着联系？"

"是的，是的，是的！"我说，已经浑然忘却了自己，对所有问题都做肯定的回答，只为结束我们的痛苦。

"您听到她的话了。那么，您现在怎么说？请相信吧，您这颗善良、过于轻信的心，"他补充说，拉起妻子的手，"请相信我，别再相信您那病态想象产生的一切。您现在看得出，这个……少女是什么人。我只是想把不可能性与您的种种怀疑摆在一起。我早就注意到这一切，也很高兴终于在您面前揭穿她。我很难受看到她在您身边，在您的怀中，与我们同处一桌，待在我的家里。您的盲目令我愤慨。这就是为什么，也只是为了这个原因，我留意她，注视着她；正是这种关注被您看在眼里，而且，上帝知道，你是以怎样的怀疑为出发点，在这块底布上编织了上帝知道是什么东西。但现在情况已经解释清楚，所有的疑问都结束了，而明天，小姐，明天您就不会待在我的家里了！"他转向我，最后说道。

"请停下！"阿列克桑德拉·米哈伊洛夫娜说，从椅子上欠起身子，"我不相信这整个情节。请别这么可怕地看着我，请别取笑我。我召请您来参加对我的评断。安涅塔，我的孩子，到我这里来，把你的手给我，就这样。我们都是罪人！"她说，声音因流泪而颤抖，谦卑地看了看丈夫，"我们之中谁能拒斥别人的手呢？把你的手给我，安涅塔，我亲爱的孩子；我不比你更尊贵，不比你好；你不可能以自己的存在侮辱我，因为我也，也是罪人。"

"夫人！"彼得·阿列克桑德罗维奇惊讶地叫道，"夫人！忍住！请不要忘记！……"

"我什么都不会忘记。请别打断我，让我说完。您看见她手上的信，您甚至还读了；您说，她……承认了，这封信是她所爱的人写的。但难道这就证明她是罪犯？能让您如此对待她，在您的妻子眼前如此欺侮她？对，先生，就在您的妻子眼前？难道您评断得了这件事？难道您知道是怎么回事？"

"但我只剩下一逃了之，请她原谅。这就是您想要的吗？"彼得·阿列克桑德罗维奇喊了起来，"听您说话，我就失去了耐心！记住您在说什么！

您知道您在说什么吗？您知道，您在捍卫什么，捍卫谁？不过我看穿了一切……"

"可您连最基本的事实都没看见，因为愤怒和傲慢妨碍您看见。您没看见我在捍卫什么，我想说什么。我不是在捍卫恶行。但是您有没有评断一下——如果您做评断的话，您就会看得很清楚——您有没有评断一下，也许，她就像一个孩子一样无辜！是的，我不是在捍卫恶行！我赶紧做个保留性的说明，如果这样让您好受的话。是的，如果她是个妻子、母亲，却忘记了自己的职责，嗯，那么我会赞同您……您看，我做了保留性说明。请注意这一点，不要责备我！但如果她收到这封信时，不知是祸呢？如果她沉迷于缺乏经验的感情，又没有人拉住她呢？如果我是第一个最有过错的人，因为我没能看管好她的心呢？如果这封信是第一封呢？如果您以自己粗鲁的怀疑侮辱了她的处女的、芬芳的情感呢？如果您以自己对这封信厚颜无耻的论调污染了她的想象呢？如果您没有看到这种贞洁的、处女的羞耻呢？它闪现在她的脸上，像童贞一样干净，我现在就看得见，而当她张皇失措、备受折磨、不知说什么、被忧戚撕扯着，以承认来回应您所有不人道的问题时，我也看见了。是的，是的！这是不人道的，这是残酷的；我认不出您了；我永远、永远不会原谅您！"

"请您饶恕，请您饶恕我吧！"我喊叫着，把她紧紧抱在怀里，"请您饶恕吧，相信我，请不要把我推开……"

我跪倒在她面前。

"如果，说到底，"她用喘息的声音继续说，"如果，说到底，没我在她身边，如果您用自己的那些话吓住了她，如果可怜的人自己确信，她是有罪的，如果您困扰了她的良心和灵魂，打破了她内心的平静……亲爱的上帝！您想把她赶出家门。但您知道，这是在对付谁吗？您知道，如果您把她赶出去，您就是把我们一起赶出去，我们俩，也赶走了我。您听到我的话吗，先生？"

她的眼睛闪闪发光，胸部激烈起伏着，她痛苦的情绪达到了最后的临界点。

"我听够了，夫人！"彼得·阿列克桑德罗维奇终于喊道，"够了！够了！我知道，有柏拉图式的激情，从我受到的戕害中知道了这个，夫人，您听见了吗？从我受的戕害中。但是，夫人，我不能与镀成金色的恶习共处！我不理解它。金银虚饰滚一边去！如果您觉得自己有错，如果您自知某种过失（不必我提醒您，夫人），如果您乐于想到，最终，离开我的家……我只需说，只需提醒您，您枉然忘记了实现您的意图，那是合适的季节，合适的时候，几年前……如果您忘记了，我就提醒您……"

我看了看阿列克桑德拉·米哈伊洛夫娜。她抽搐着倚靠在我身上，因内心的悲痛而倦怠无力，半闭着眼睛，身处无尽的痛苦中。再过一分钟，她就要摔倒了。

"哦，看在上帝的分上，哪怕这一次饶过她！不要说尽最后的话。"我尖叫着，跪在彼得·阿列克桑德罗维奇面前，忘了我背叛了自己。但已经晚了。一声微弱的呼喊回应了我的话，可怜人倒在地板上，失去了知觉。

"完了！您杀了她！"我说，"请叫人来，救救她！我在您的书房等您。我要跟您谈谈，我把一切都告诉您……"

"什么事？什么事？"

"过后再说！"

昏厥和发作持续了两个小时。整座房子都处于惊恐之中。医生疑惑地摇着头。两小时后，我走进彼得·阿列克桑德罗维奇的书房。他刚从妻子身边回来，在房间里走来走去，指甲咬出血来，脸色苍白，心烦意乱。我从未见过他这副样子。

"您想告诉我什么？"他用严厉、粗鲁的声音说，"您想说什么？"

"这是您从我手里抢去的那封信，您认得它吗？"

"是的。"

"请拿去吧。"

他接过信拿到光线下。我留意地注视着他。几分钟后他快速翻到第四面，读了签名。我看到，血涌上了他的脑袋。

"这是什么？"他向我问道，惊异得呆住了。

"三年前，我在一本书里发现了这封信。我猜，它是被忘在那儿的，就读了读，就——了解了一切。从那以后它就一直留在我身边，因为我不知该把它交给谁。我不能把它交给她。可交给您呢？但您不可能不知道这封信的内容，而里面又是这一桩悲伤的故事……为什么您要假装——我不知道。这个，暂时而言，对我来说是晦暗不清的。我还不能清楚地洞悉您幽暗的灵魂。您想对她把持优先权，您也把持住了。但是为什么呢？为了战胜一个幻影，一个女病人紊乱失常的想象，向她证明她误入迷途，而您比她更无辜！您实现了您的目标，因为她的这种怀疑——是衰退下去的心智里呆板固定的想法，也许，是破碎的心对人间不公正判决的最后抱怨，而您与这判决是协同一致的。'您爱上了我，这又有什么大不了的？'这就是她说的，这就是她想要向您证明的。您的虚荣心，您急切的自私自利是残忍无情的。别了！解释就不必了！但是，您瞧，我完全认识您了，我看穿了您，请别忘了这一点！"

我走进自己的房间，几乎不记得发生在我身上的事情。在门口我被奥弗罗夫、彼得·阿列克桑德罗维奇的事务助理拦住了。

"我想和您谈谈。"他彬彬有礼地鞠了一躬说。

我看着他，勉强明白他对我说的话。

"过后吧，对不起，我不舒服。"我终于回答，从他身边走过。

"那么，明天吧。"他说，躬身退去，脸上带着暧昧的微笑。

不过，可能是我感觉如此，这一切就像在我眼前倏忽闪过。

赵桂莲

北京大学外国语学院俄语系教授、博士研究生导师

主要研究方向俄罗斯文学和俄罗斯传统文化

1

因为参加彼得拉舍夫斯基空想社会主义革命小组的活动，1849 年陀思妥耶夫斯基被捕入狱，被判处流放西伯利亚服苦役，由此中断了持续仅仅两三年的文坛生活。这一年问世的《涅朵奇卡·涅兹万诺娃》就此成了其这一时期、即早期创作的最后一部作品。

1846 年，处女作《穷人》问世之后，陀思妥耶夫斯基的才华得到一致认可，其创作前途似乎应该一片光明，但接下来的一系列创作，比如《双重人格》《女房东》《普罗哈尔钦先生》《白夜》等，不仅在当时反响平平，甚至还招致了不少的批评。批评界普遍认为，在这些作品中作家过于细致琐碎地玩味、剖析、表现人物往往病态的心理状态，因而主题思想不够明晰。不过，需要强调的是，文学创作关注社会问题固然重要，但这一时期被当时同样著名的文学评论家迈科夫定义为"心理诗人"的陀思妥耶夫斯基因为着迷于揭示"人"这个"奥秘"而创作的一系列作品同样重要，因为有谁会不关心人究竟为何物、人的心理机制究竟如何运作、影响人心理变化的因素究竟有哪些以及诸如此类与人有关的问题呢？尤其是对那些出于种种原因而心理健康产生了问题的人来说，作为精神病理研究领域的泰斗级人物，19 世纪和 20 世纪之交的俄国生理学家、精神病学家、心理学家别赫捷列夫院士看到的不仅是陀思妥耶夫斯基的创作为其深化认识人的心理提供的丰富无比的资源，更看到了其创作的现实的社会效益："陀思妥耶夫斯基的文学遗产如今在哪些关系中可以发挥社会治愈、社会教育作用？"

这个问题的提出实际上肯定了陀氏创作的治愈和教育功用，对于当今时代的我们来说，作家文学遗产的价值和意义更值得重视和珍惜。现代社会的种种压力不但没有比陀思妥耶夫斯基所处时代的压力轻，反而大大加重了，据统计，仅我国现在患有精神疾病的人就超过一亿，重症患者超过 1600 万，很多病患恐怕还没被统计在内，比如隐藏在网络世界里冷血暴虐、极尽恶毒之能事，并由此得到快感的网络"喷子"，而更让人匪夷所思的，是那些人往往没有快感，而是无感。心理医师无疑可以在一定程度上给予患者帮助，但别赫捷列夫院士认为精神病学当时没有抵达的领域，今后也做不到完全攻克，更做不到手到病除。专业工作者做不到的事情，如陀氏这般的艺术家、"灵魂洞察者"能够辅以意想不到的帮助，帮助往往比所谓"正常人"敏感多疑得多的"非正常人"通过鲜活生动的艺术形象深入认识自己和自己的"病"。

在我看来，就精神病理分析的细致和通透，以及围绕儿童性格和道德观形成过程中家庭的影响因素组织情节、推进故事发展，并因而成就的一部在各个层面皆可谓引人入胜的成长小说而言，《涅朵奇卡》在陀氏创作中无疑占有不容忽视的地位。

这是一部体裁被称为"成长小说"或"启蒙小说"的作品，以涅朵奇卡的日记，也可以理解为回忆录的形式记录了她从幼年到少年，再到青年的心路历程。本来打算写成由不少于六部组成的长篇小说。题为《涅朵奇卡·涅兹万诺娃：一个女人的历史》的这部作品在1849年《祖国纪事》上连载了三部：第一、第二、第三章是第一部，名为《童年》；第四、第五章是第二部，名为《新生活》；第六、第七章是第三部，名为《奥秘》。遗憾的是，流放西伯利亚让作家没来得及完成长篇小说的写作，十年后归来的他的世界观发生了极大变化，对于自己的创作使命有了全新的认知，由此，作家无暇也无心完成他最初的构想，而是做了相应的修订之后，亲自把"长篇小说"定义为了"中篇小说"，原有的第一、二、三部也被撤除了，只保留了七章的划分，题目中去掉了"一个女人的历史"，成为《涅朵奇卡·涅兹万诺娃》。

但话说回来，构思过的长篇小说《一个女人的历史》没有完成，不代表作为成长小说的《涅朵奇卡·涅兹万诺娃》也没有完成。对此问题各路学者自小说问世至今都没能达成共识，尤其对它是"长篇小说"还是"中篇小说"各持己见，甚至有些学者认为这部分三部发表的作品是三篇独立的中篇小说。这样离奇的认识让人感到匪夷所思，如果说在构筑情节和叙事方式上与《涅朵奇卡·涅兹万诺娃》存在诸多相似的莱蒙托夫的名著《当代英雄》从来没有被看成是相互独立的五篇中篇小说，是因为贯穿始终的人物是男主人公皮巧林，那么陀氏的作品为什么就独立为三部小说了呢？其中也无疑存在贯穿始终的女主人公。

涅朵奇卡毋庸置疑是把整部小说的三条线索连接在一起的主线，这三条线索貌似相互之间没有交集，但实际上却潜在地联系在一起，这条从未间断的主线就是女主人公的成长之路，这条路上遇到的人、发生的事件都是涅朵奇卡生命历程中的插曲或铺垫，她在这条路上一直向前，从本能地一味讨好、战战兢兢的小女孩的躯壳中一步步萌生出真正的生命意识，最后破茧成蝶，振翅飞翔，迎接新生命的曙光和命运对于作为独立女性的她的新的考验。

虽然说遇到的人是插曲或铺垫，但在作家如同透过显微镜一般凝神注视的目光下及其入木三分的勾勒描画中，他们在小说中占据的篇幅尽管大小不一，但其形象皆丰满、生动、立体，让人过目难忘，其中最为醒目、在女主人公性格和世界观形成过程中影响巨大的，是其继父叶菲莫夫，童年时期的伙伴、"情人"公爵小姐卡佳，以及卡佳同母异父的姐姐阿列克桑德拉·米哈伊洛夫娜。

2

涅朵奇卡开始有记忆正是拜继父叶菲莫夫所赐，她拥有记忆是从感受到爱抚开始的："或许，那是父母的第一次爱抚，或许这就是为什么我从那时起就开始如此清晰地记得一切。"这是涅朵奇卡八岁半的时候，而之前却"没给我留下任何清晰的印象"，可以说，这是主人公生命中的一个时间节点，因为在此之后"我就清楚地记得每件事，日复一日，连续不断，仿佛从那以后无论发生什么，一切都远不过昨天"。记忆从继父的爱抚开始，但与此同时离奇的是，"我开始清楚记得自己的那个时期，在我内心留下了强烈而悲伤的印象；这种印象随后每天都在重复，每天都在增长；它将黑暗和奇怪的色调投在我跟父母的生活上，因而同时也投在我的整个童年上。"这是第二章的开篇，它呼应了第一章的起始："他（叶菲莫夫）的命运很是引人注目：这是我认识的所有人中最奇怪、最不可思议的人。他过于强烈地反映在我童年的最初印象中，那样强烈，以至于这些印象对我的一生产生了影响。"

叶菲莫夫到底是个怎样的典型？首先，他在音乐方面拥有天赋，甚至可以说是个"天才"，这无需置疑，他为数不多的几次小提琴演奏得到了所有有幸听过他演奏的人的肯定，甚至惊叹：本来受邀到地主庄园演奏的法国小提琴家因为听了叶菲莫夫的演奏之后不仅"傲慢地"拒绝了邀请，而且回信说"今后他与那些拥有自己乐队的老爷打交道会格外小心"，因为"看到真正的天才被一个不知其价值的人操控很不雅观"，而"以叶菲莫夫为例，他是真正的艺术家，也是他在俄罗斯见过的最好的小提琴手，这就足以证明他的话是正确的"；酷爱音乐、可谓是骨灰级发烧友、几乎把全部收入都投到乐团上的地主听了演奏"号啕大哭"，而女主人公虽然年纪小但同样泪流满面，至少在很大程度上与音符极为深刻地触动了她有关，甚至可以认为这种表现是本能反应；他青年时期的伙伴、同为小提琴手的德国的 Б.先生对他"如此出色、如此富于灵感"的演奏过了许多年以后依然记忆犹新……他对音乐的理解更是出类拔萃，让受过系统训练、不断精进技艺的 Б.先生震惊不已："在这个人身上，尽管完全无能，尽管对艺术技巧仅有最微不足道的认识——却有着那样深刻、那样清晰，而且可以说是本能的对艺术的理解。他如此强烈地感受它，并且本身就理解它，以致如果他迷失在对自己的意识中，不是把自己当成一个深刻的、出于本能的艺术批评家，而是当成献身艺术的人，当成一位天才，也就不奇怪了。有时，他用粗鲁、简单，与任何科学都格格不入的语言跟我说起如此深刻的真理，以至于我一时不知所措，无法理解他是如何识透这一切的。他从未读过任何东西，从未学过任何东西。我对他多有感谢……感谢他和他在我的发展上的建议。"

这本来应该成为叶菲莫夫成就宏伟抱负的保障，他对未来的大计划是："他不仅想成为一流的天才，成为世界上最出色的小提琴家之一；他不仅已经认为自己是这样的天才——他，还想成为一位作曲家，尽管他全然不了解对位法。"但他却没有实现梦寐以求的功成名就，因为他缺失一个成功人士应该具备的最起码的耐心、努力和坚持，他"很少单纯""过于狡猾""想得过多""言语上张狂大胆，当不得不拿起琴弓的时候又胆怯了"，他"自尊心强，内心却少有勇气"。的确，叶菲莫夫总是在夸夸其谈，三分钟热情，Б.终于忍无可忍与他分道扬镳时他的心理变化可以看成是其一生起起伏伏精准的缩影："叶菲莫夫怀着深深的情感听着自己往日同伴的话。但在对方说话之间，他脸上的苍白消失了，双颊焕发出红晕，他的眼睛闪烁着不寻常的勇气和希望之火。很快，这种罕见的勇气转化为自信，然后变成平素的傲慢。最后，当Б.结束自己的劝诫时，叶菲莫夫已经听得心不在焉，不耐烦了。"

拥有天分却好高骛远，做不到为理想持之以恒付出劳动，故而到最后甚至开始怀疑自己是否真的拥有天分的叶菲莫夫一步步滑入怨天尤人、难以自拔的深渊，他不仅成了妄想狂，还是被害妄想狂。实际上，怨天尤人、恶意揣测他人本来就是他的本性：一开始他就在怨恨、诽谤雇用他的地主，认为对方压制他，让他的才华得不到施展和承认，所以他恶人先告状，散布流言蜚语；他怀疑地主的伯爵朋友鼓动别人诬告他杀害了意大利指挥……到后来，生活中的一切不顺都能成为他抱怨的借口：是在外省七年流浪乐手的生活耽误了他的前程；终于到了彼得堡，又卑鄙地因为钱财结婚并把妻子的一千卢布挥霍一空，之后开始怨恨她是其成功之路上最大，甚至唯一的阻碍，这是他"活的借口"；他看不起艺术界，尤其是音乐界的所有人，芭蕾在他口中是"破芭蕾"，为"破芭蕾"配乐和演奏一钱不值，甚至为"破芭蕾舞剧"配乐不是演奏，是"轰鸣"。再后来，他开始埋天怨地，把同行骂了个遍，"不被承认的天才"成了他的口头禅以及他给自己贴上的标签，但在自大自负的同时他又极其自卑，"避开真正有才华的人"，聚集在他身边的都是些跳群舞的、跑龙套的、没机会上台的演员，只有在这些人中间他才感到"老子天下第一"，可以吹大牛，可以嘲讽谩骂，无所不用其极。

平心而论，命运待叶菲莫夫不薄：雇佣他在自己乐团演奏的地主亲耳聆听过他的小提琴演奏（此前他完全不知道叶菲莫夫会拉小提琴）之后愿意付出最高的薪水诚心挽留他，在遭到拒绝之后仍给了他三百卢布，并发自肺腑地劝他勤奋学习，无论如何不能沾酒，不能自大，否则将一事无成，会像教会他拉小提琴的意大利音乐家一样死无葬身之地；脚踏实地的 Б.先生甘心做"艺术的勤杂工"，挣钱养活他，分别时不仅留给他钱，还好言相劝，而且成名之后一次次帮助他和他的家庭，为他安排工作，提携他；妻子为爱嫁给他，劳苦功高，无条件地支持他，却一次次产生希望，又一次次失望，陷入绝望……他理直气壮地花了 Б.先生多少钱不得而知，但地主前后给他的四百卢布加上妻子的一千卢布在 19 世纪初的俄国是什么概念？四百克茶和咖啡一卢布，饭店吃一顿饭五十戈比到两卢布，医生出一次诊二十戈比到一卢布，租一间房子月租金八到十卢布；一张前排座位的戏票三到五卢布，一个包厢三十卢布；技校校长的年工资是四百多卢布，技校教师的年工资是五十到七十卢布；至于当时地位最高的军人，中校月工资七十五卢布，一个退役少校的退休金一个月是三十三卢布……查阅并罗列这些有趣的数字是想说明一点：叶菲莫夫总是把贫穷当成阻碍他成功的说辞，这只是借口，只是在自欺欺人而已，假如他不是挥霍成性，堕落成连妻子做苦力挣得的一点钱都拿去喝酒的烂酒鬼，恐怕命运早就对他微笑了。这样的自欺欺人最后达到了无比恐怖的地步，他"以为当他埋葬毁了他的妻子时，一切就走入正轨了"，实际上他又清楚地知道，这只是借口，是他"这一时期必不可少的借口"，而当妻子真的如他所愿死了，他的借口也就没了，所以他疯了，死了。涅朵奇卡就此的总结陈词冷静得可怕，但一针见血："他死了，因为他这样的死亡是一种必然，是他整个一生的自然结果。他只能这样死去，因为生活中支撑他的一切突然崩溃，像幽灵，像无实体的、空洞的梦想一样消散了。他死了，在他最后的希望消失之际，在一瞬间，当他欺骗自己和维持一生的一切都在他的面前化解，进入清朗的意识之时。"

通过叶菲莫夫作家还呈现了在他看来具有典型性的俄罗斯民族性格："首先是在一切方面忘记一切尺度……这是一种跨越边缘的需求，一种对呼吸停止感觉的需求，达到深渊，半个身子吊在上面，往无底洞里张望，在个别但却十分不稀有的情况下像个疯子似的大头朝下扑进去。"地主入木三分地发现了他的这种特点，也由此预见到了他的结局，在这方面叶菲莫夫的自我认知也足够客观和准确，所以他坚决要离开地主，否则他可能放一把大火，"会对自己做出某种类似的事，这样他们就会把我远远地打发走，事情也就结束了！"这句话中的隐含意思是遭到发配、流放，当时的俄国只有罪大恶极的刑事犯才会遭到这样的惩罚。怂恿涅朵奇卡偷母亲钱的前前后后，他的心理也正如一个亡命徒一样对一切不管不顾，冷血，下流。

叶菲莫夫沦为了令人不齿的恶徒，为了达到大大小小的目的不择手段：为了喝上一杯小酒在从前的伙伴面前像哈巴狗一样奴颜婢膝，酒足饭饱之后又开始竭尽所能地嘲讽对方、刺痛他，且为了显摆、更为了以后能够赊酒喝，出门时又换了一副嘴脸，向酒馆老板和其他人介绍说这是"整个首都的第一也是唯一的小提琴家"，这一刻他"龌龊至极"；利用继女的爱从她手中抢钱，鼓动她为了他去偷母亲的钱，继女稍有犹豫就说她不爱他，过后又冠冕堂皇地指责她偷钱不好，等等，不一而足。

叶菲莫夫类似今天的网络"喷子"，越失败，越归咎于外在环境，对一切诋毁谩骂的言语就越恶毒，没有丝毫道德底线。他"在这种疯狂之中有三起犯罪，因为，除了他自己，他还毁掉了另外两个人：他的妻子和女儿"，他的一生是"一出可怕、丑陋的悲剧"。

涅朵奇卡生命中遇到的第二个对她影响巨大的人是公爵小姐卡佳，她在卡佳身上第一次领悟到什么是美和优雅。卡佳本性善良，对她来说最为重要的是正义，所以她知错就改，善恶分明。不幸的是，虽然出身豪门，上流社会女子必须掌握的各种技艺她无所不能，但在如何做人上却没有得到多少正面的引导："卡佳的教养是狂放的娇宠和毫不动摇的严厉这两者奇怪的混合物。昨天允许的事情，突然间，今天就毫无理由地被禁止了，孩子内心的公正情感被挫败。"卡佳也由此很任性、霸道，甚至骄横。这个家庭维护着表面上的繁文缛节，家庭成员之间却少有交流，"怪人"父亲虽然慈善，却总是把自己封闭在自己的房子里，就算是夫妻之间，一个礼拜才会见上一面；母亲虚伪固执，人前一套，人后一套。在卡佳与涅朵奇卡的关系中作家细致入微地表现了复杂的儿童心理：因为最爱的父亲夸了涅朵奇卡而同时批评了自己（这当然是儿童教育方面的大忌），卡佳在明知道涅朵奇卡爱她，甚至崇拜她的时候，却动了各种小心思折磨她、忽视她，故意不跟她说话，而和好以后她的表现几乎可以用疯狂得可笑来形容。卡佳的形象可以说是作家晚期创作中屡屡出现的承载"美拯救世界"理念的反复无常的女性形象的前奏。

卡佳同母异父的姐姐阿列克桑德拉·米哈伊洛夫娜是作家晚期创作中"堕落女性"的前身，尽管她的所谓"堕落"只是精神出轨。作家在这段故事中展现的是如今被称为PUA的精神控制现象。阿列克桑德拉·米哈伊洛夫娜的丈夫彼得·阿列克桑德罗维奇是个表演高手，涅朵奇卡对他的心理分析活脱脱勾勒出一幅控制与被控制的生动画面："您想对她把持优先权，您也把持住了……为了……向她证明她误入迷途，而您比她更无辜！您实现了您的目标……'您爱上了我，这又有什么大不了的？'这就是她说的，这就是她想要向您证明的。"这个人似乎永远戴着面具，表情随时可以从快乐（人后）变成阴沉（人前）。他已经习惯于在人前扮演受害者和宽宏大量的丈夫，在妻子面前呈现出冷酷无情的暴君形象，压制她、贬低她，让她养成了谨小慎微的习惯，不敢大声说话，不敢表达意见，察言观色，留意他的每一个动作、每一个眼神、说的每一个词，深居简出，活得就像一个"修女"。

　关于小说的核心人物涅朵奇卡，前面说过，拜叶菲莫夫所赐她有了记忆，而由爱抚开始的记忆同时又蒙上了一层忧郁、阴沉的色彩。原因就在于八岁那一年围绕继父和她自己以及母亲发生的一系列事件让她意识到继父的爱是有条件的，是利用性质的，继父只有在通过她得到好处时才会表现出"爱"，才会肉麻地夸奖她，实际上"他并不怜惜我"，更谈不上爱，而母亲对她的爱却是真切的、深沉的，她疏远母亲，甚至恨她是不公正的。这个残酷的真相是涅朵奇卡慢慢感悟到的。

　涅朵奇卡是个缺爱的孩子。由于婚姻的不幸，没有止境地干各种粗活并以一己之力养活一家三口，再加上长期操劳导致身体恶化，母亲易怒、严厉，她对丈夫虽然还保留着爱，但也与其一直处于敌意之中，两人常常陷入冷暴力，所以她没有更多精力通过言语和行动表现出对涅朵奇卡的爱，也正因为此，父母吵架时涅朵奇卡因为护着继父从而得到他偶尔的一次爱抚才会对她产生那么大的影响力："从这一刻起，我内心开始了对父亲的某种无止境的爱……更像是一种出于同情的、母性的情感……"也是从这一刻起，小姑娘心中同时还产生了另一个让我"震撼""一直留在我心里""一天比一天让我更加愤愤不平"的念头：父亲"忍让、承受了很多妈妈带来的痛苦"，对于这样的"不幸的人""受难者"，"不去神魂颠倒地爱他，不安慰他，不对他亲热，不竭尽全力为他着想，是一件可怕的、不近人情的事情。"正是因为产生了这样的念头，涅朵奇卡萌生了母亲妨碍他们过上美好生活、看不得她和父亲幸福、妨碍父亲成为伟大艺术家的念头，进而憎恨可怜的母亲，甚至产生希望母亲死的恶念。

　涅朵奇卡为什么愤怒，而且愤怒还与日俱增？因为她本能地意识到自己的念头有问题，因为母亲"不可能单单凭着对我严厉就那样激起我逆着她"，虽然对于"我有多么依恋我父亲，就有多么痛恨我可怜的母亲"这种心态她（应该说是作家本人更合适）给了可谓儿童心理学意义上的解释："许多孩子往往是畸形地缺乏感知，如果他们爱上谁，就会格外地爱。"但她的良心却承受着无尽的折磨："我记得，那时父亲的爱抚让我觉得更难受了，我无法承受一个我那样想去爱的人——疼我、爱我，而另一个我却不敢甚至害怕去靠近。"因为缺爱又渴望爱，涅朵奇卡常常陷入幻想，幻想中的父亲"比妈妈更爱"她，"确信他会袒护"她，而母亲会因为一点小错就骂她、指责她，但现实却恰恰相反。

　　"偷钱事件"让涅朵奇卡基本上丢掉了幻想，彻底看清了继父叶菲莫夫深入骨髓的冷漠和自私，也让她自己的成长跨越了一个台阶："有那么几分钟，人的意识所感受到的东西远比几年还多。"她意识到了，极端情况下，叶菲莫夫有时"决意再一次把我推向恶行，就此牺牲我可怜的、无力自卫的童年，冒险再次动摇我尚不稳定的良心"。涅朵奇卡本性善良，是叶菲莫夫让她良心不安，在善与恶之间挣扎，因为曾经那么残酷地对待母亲而愧悔不已，这成为她心中无法愈合的伤口。

　　可以说，叶菲莫夫在妻子和继女面前同样是一个 PUA 高手，尤其是对涅朵奇卡来说。正是叶菲莫夫让涅朵奇卡不知不觉之间养成了察言观色、随时讨好的习惯，甚至形成了讨好型人格：讨好继父，满足他一切不合理，甚至毁灭性的需求，与此同时对于继父的伎俩涅朵奇卡却十分清楚："难道他不明白，要欺骗一个渴求体会种种印象的意识、已经感受并理解了许多恶与善的天性是多么困难？"清醒地认识到恶的丑陋却又为了抓住一点点可怜的"爱"而不得不去作恶，敏感、心思细腻的涅朵奇卡的心境可想而知；讨好公爵小姐，忍受她的蛮横和无理，与此同时自己都感到莫名其妙地暗暗爱她，这里呈现的心理可以说是受虐狂的心理了；甚至讨好公爵家里的下人，只是为了让他们对她好，尽管他们本来就对她礼貌有加……要用差不多十年的时间，加上与阿列克桑德拉·米哈伊洛夫娜亦母亦师亦友的关系和大量阅读才使涅朵奇卡摆脱了讨好型人格，在小说的结尾处，涅朵奇卡一改往常的怯懦和软弱，为了保护她所爱、所珍惜、所心疼的阿列克桑德拉·米哈伊洛夫娜，不惜牺牲掉自己作为一个姑娘的名节，而且酣畅淋漓地当面痛斥了彼得·阿列克桑德罗维奇的虚伪、自私、暴虐、残忍、虚荣、心理阴暗，最后留下一句"别了！解释就不必了！但是，您瞧，我完全认识您了，我看穿了您，请别忘了这一点！"一个在不正常的家庭里长大、一直如履薄冰、战战兢兢的弱者经历过无数磨难，内心终于变得强大起来。实际上，勇敢的种子早已埋在涅朵奇卡的内心深处，继父叶菲莫夫吓唬她不许说出偷钱一事的时候，她第一次有了破釜沉舟的勇气："我的上帝！他却以无情、恐吓的手势命令我沉默，好像我在这一刻还会害怕什么人的其他威胁似的。"从承受叶菲莫夫的威胁到主动去威胁彼得·阿列克桑德罗维奇不可对妻子造次、不可继续玩弄她的感情，涅朵奇卡的变化让我们对她的未来少了些担心，多了些信心。

　　顺便说一句，"涅朵奇卡·涅兹万诺娃"这个名字本身就已经点明了小说的宗旨：母亲发明的安娜这个名字的爱称"涅朵奇卡"和具有"不速之客"之意的"涅兹万诺娃"，把"爱"和"不受欢迎""多余""漂泊""游离在外"结合在一起。的确如此，一直伴随涅朵奇卡的都是孤独感、飘零感：在父母家里她总是感觉自己是个多余的人，总是想方设法躲到角落里；到了第二个家，"夜晚入睡时，我希望突然能在我们可怜的房间里再次醒来，看见父亲和母亲……"如梦初醒之后她强烈地意识到："只剩下我一个人了，住在别人家里。那时我第一次感到我是个孤儿了。"慢慢适应并融入这个家之后没到两年，公爵一家搬到了莫斯科，"我就走进了另一个家庭，另一座房子……又一次把心与所有令我如此愉悦、对我而言已然亲近的一切扯断联系。"从涅朵奇卡的感受可以看出，美好的事物都留在过去，尽管过去并非真的美好。不知作家是有意还是无意，但阅读时留心的话不难发现，一直心无所依、处于游离状态中的涅朵奇卡，其生命中的关键事件、促使其心智获得飞速成长和提升的核心事件就空间而言都发生在边缘地带：继父教唆她偷钱以及她每每期待继父回家、哪怕早一分钟见到都会满心欢喜的地方是穿堂，她再次偷听到继父癫狂前演奏的如泣如诉的乐曲是在两个帷幔之间，小说结尾处彼得·阿列克桑德罗维奇的秘书面带"暧昧的微笑"说有话跟她谈、亦即预示未来命运的地方是门口。虽然作为"不速之客"，游离于核心生活之外，一次次被抛到边缘地带，但涅朵奇卡却一直在寻觅爱、感受爱、施与爱，努力要做到的是不再做"不速之客"，找到能让心灵安宁的家，做家的主人、生活的主人。

《涅朵奇卡·涅兹万诺娃》也可以被看作二十多年后《少年》中聚焦的"偶合家庭"主题的预演，所谓"偶合家庭"，是指家庭成员没有准备去过家庭生活，父母没有准备去做父母，没有任何东西把家庭成员连接在一起，孩子走向社会的时候关于家庭没有任何值得回忆和肯定的价值，而涅朵奇卡生活过的三个家庭全都是"奇怪的家庭"，家庭成员之间少有亲情，多有敌意，相互之间要么疏离、漠不关心，要么相互打压、指责、伤害。意识到自己将不久于人世的涅朵奇卡的母亲发出了这样的哀号："是我，这都是我的错，不幸的人！……她会怎么样？我死了，她会怎么样呢？……能把你托付给谁呢，连我活着都不能抚养你，照料看护你？……我的小可怜！可我都没注意她怎么长大的；她知道，什么都知道。我的上帝！这都是什么印象，什么榜样啊！"

陀思妥耶夫斯基毕生都在关心儿童教育问题，固守着"主要的教育乃父母的家"的理念，相当程度上因为父亲角色的缺失而受侮辱受迫害的儿童形象几乎在他晚期的所有作品中都存在。《涅朵奇卡·涅兹万诺娃》是其最早也是最集中表现儿童成长过程的小说。直到晚年，有感于社会伦理道德体系的混乱、各阶层的相互敌视、人与人之间的疏离和冷漠，作家还一次又一次回到这个问题，对不称职的父亲甚至做了细分，其中"懒惰的父亲甚至会按部就班履行义务，给饭吃、给衣穿，保障接受教育，可这里没有父亲、没有家庭，少年独自一人进入生活，他活得没心没肺。他的心与过去、家庭、童年没有任何联系"，而"小孩子的心灵要求接触父母的心灵"。在"丧偶式教育""丧偶式育儿"现象越来越普遍，从而导致一系列连锁反应的今天，陀思妥耶夫斯基的这些话及其刻画儿童心路历程的成长故事读来依然振聋发聩。

Milton Keynes UK
Ingram Content Group UK Ltd.
UKHW032046010124
435297UK00011B/626

9 798869 002242